新　潮　文　庫

螢・納屋を焼く・その他の短編

村　上　春　樹　著

新　潮　社　版

3922

目次

螢・納屋を焼く・その他の短編

螢《ほたる》

昔々、といってもたかだか十四、五年前のことなのだけれど、僕《ぼく》はある学生寮に住んでいた。僕はその頃《ころ》十八で、大学に入ったばかりだった。東京の地理にはまったくといっていいくらい不案内だったし、おまけにそれまで一人暮しの経験もなかったので、親が心配してその寮をみつけてくれた。もちろん費用の問題もあった。寮の費用は一人暮しのそれに比べて格段に安かった。僕としてはできることならアパートを借りて一人で気楽に暮したかったのだけれど、入学金や授業料や月々送ってもらう生活費のことを考えるとわがままは言えなかった。

寮は見晴しの良い文京区の高台にあった。敷地は広く、まわりを高いコンクリートの塀《へい》に囲まれていた。門をくぐると正面には巨大なけやきの木がそびえ立っている。樹齢は百五十年、あるいはもっと経《た》っているかもしれない。根元に立って上を見あげると、空はその緑の枝にすっぽりと覆《おお》い隠されてしまう。

コンクリートの舗道はそのけやきの巨木を迂回《うかい》するように曲り、それから再び長い直線となって中庭を横切っている。中庭の両側には鉄筋コンクリートの三階建ての棟《むね》がふたつ、平行に並んでいる。大きな建物だ。開け放しになった窓からはラジオのディスク・ジョッキーが聞こえる。窓のカーテンはどの部屋も同じクリーム色——日焼けがいちばん目立たない色だ。

舗道の正面には二階建ての本部建物がある。一階には食堂と大浴場、二階には講堂と集会室、それから貴賓室まである。本部建物と並んで三つめの寮棟《りようとう》がある。これも三階建てだ。中庭は広く、緑の芝生の中ではスプリンクラーが太陽の光を受けてぐるぐると回っている。本部建物の裏手には野球とサッカーの兼用グラウンドとテニス・コートが六面ある。至れり尽せりだ。

この寮の唯一《ゆいいつ》の問題点は——それを問題点とするかどうかは見解の分れるところだとは思うけれど——それがある極めて右翼的な人物を中心とする正体不明の財団法人によって運営されているところにあった。入寮案内のパンフレット及び寮生規則を読めばそのだいたいのところはわかる。「教育の根幹を窮《きわ》め国家にとって有為な人材を養成する」これがこの寮創設の精神である。そしてその精神に賛同する多くの財界人が私財を投じ……というのが表向きの顔なのだが、その裏のことは例によって曖昧模《あいまいも》糊《こ》としている。正確なところは誰《だれ》にもわからない。税金対策だと言うものもいるし、寮設立を名目にして詐欺《さぎ》同然のやりくちで土地を手に入れたんだよと言うものもいる。

単純に売名行為と決めつけるものもいる。でもそんなのは結局のところどうでもいいことだ。とにかく一九六七年の春から翌年の秋にかけて、僕はその寮の中で暮していた。そして日常生活というレベルから眺《なが》めてみれば、右翼だろうが左翼だろうが偽善だろうが偽悪だろうが、なんだってたいした変りはないのだ。

寮の一日は荘厳《そうごん》な国旗掲揚とともに始まる。もちろん国歌も流れる。国旗掲揚と国歌は切っても切り離せない。これはスポーツ・ニュースとマーチの関係と同じようなものだ。国旗掲揚台は中庭のまんなかにあって、どの寮棟の窓からも見えるようになっている。

国旗を掲揚するのは東棟――僕の入っている棟――の寮長の役目だった。背が高く目つきの鋭い五十前後の男だ。髪は固く幾らか白髪《しらが》が混じり、日焼けした首筋に長い傷あとがある。この人物は陸軍中野学校の出身という話だ。その横にはこの国旗掲揚を手伝う助手の如《ごと》き立場の学生が控えている。この学生のことは誰もよく知らない。丸刈りで、いつも学生服を着ている。名前も知らないし、どの部屋に住んでいるのかもわからない。食堂でも風呂《ふろ》でも一度も顔を合わせたことがない。本当に学生なのかどうかさえわからない。しかし学生服を着ているからにはやはり学生なのだろう。そうとしか考えようがない。中野学校氏とは逆に背が低く、小太りで色が白い。この二人組が毎朝六時に寮の中庭に日の丸を上げるわけだ。

僕は寮に入った当初、よく窓からこの光景を眺めたものだ。朝の六時、時報とともに二人は中庭に姿を見せる。学生服が桐《きり》の薄い箱を持っている。中野学校はソニーのポータブル・テープレコーダーを持っている。中野学校がテープレコーダーを掲揚台の足もとに置く。学生服が桐の箱を開ける。箱の中にはきちんと折り畳まれた国旗が入っている。学生服が中野学校に旗を差し出す。中野学校がロープに旗をつける。学生服がテープレコーダーのスイッチを押す。

君が代

そして旗がするするとポールを上っていく。

「さざれ石のぉ――」というあたりで旗はポールのまんなかあたり、「まぁで――」というところで頂上にのぼりつめる。そして二人は背筋をしゃんとのばして「気をつけ」の姿勢をとり、国旗をまっすぐに見上げる。空が晴れていてうまく風が吹いていれば、これはなかなかの光景だ。

夕方の儀式も様式としてはだいたい朝と同じようなものである。ただ順序が朝とはまったく逆になる。旗はするすると下に降り、桐の箱の中に収まる。夜には国旗は翻《ひるがえ》らない。

どうして夜のあいだ国旗が仕舞いこまれてしまうのか、僕にはよくわからなかった。夜中にだって国家はちゃんと存続しているし、多くの人々は働いている。そのような人々が国旗の庇護《ひご》を受けることができないというのはどうも不公平であるような気がした。でもそれはべつにたいしたことではないのかもしれない。誰もたぶんそんなことは気にしないのだろう。気にするのは僕くらいのものなのだろう。それに僕にしたところで、ふとそう思いついただけのことで、深い意味なんて何もない。

寮の部屋割は原則として一、二年生が二人部屋、三、四年生が一人部屋ということになっていた。

二人部屋は六畳間を縦にのばしたような細長い形をしていた。つきあたりの壁に大きなアルミ枠《わく》の窓がついている。家具は極端なくらい簡潔で、がっしりとしたものだった。机と椅子《いす》が二つずつ、二段ベッド、ロッカーが二つ、それから作りつけの棚《たな》がある。大抵の部屋の棚にはトランジスタ・ラジオとヘア・ドライヤーと電気ポットとインスタント・コーヒーと砂糖とインスタント・ラーメンを作るための鍋《なべ》と、食器が幾つか並んでいる。しっくいの壁には『プレイボーイ』の大版のピンナップが貼《は》ってある。机の上の本立てには教科書と流行《はや》りの小説が何冊か並んでいる。

男ばかりの部屋だから大体はおそろしく汚ない。ごみ箱の底にはかびのはえたみかんの皮がへばりついているし、灰皿《はいざら》がわりの空缶《あきかん》には吸殻《すいがら》が十センチもたまっている。カップにはコーヒーのかすがこびりついている。床にはインスタント・ラーメンのセロファン・ラップやビールの空缶が散乱している。風が吹くと床からほこりがもうもうと舞いあがる。ひどい匂《にお》いもする。みんな洗濯《せんたく》ものをベッドの下に放り込んでおくからだ。定期的に布団《ふとん》を干す人間なんてまずいないから、どの布団もたっぷりと汗と体臭を吸い込んでいる。

それに比べれば、僕の部屋は清潔そのものだった。床にはちりひとつなく、灰皿はいつも洗ってあった。布団は週に一度は干されたし、鉛筆はきちんと鉛筆立てに収まっていた。壁にはピンナップのかわりにアムステルダムの運河の写真が貼ってあった。僕の同居人が病的なまでに清潔好きだったせいだ。彼が全部掃除をした。洗濯までしてくれた。僕は指一本動かさなかった。僕が缶ビールを飲み干して空缶をテーブルの上に置くと、次の瞬間それはゴミ箱の中に消えているという具合だった。

僕の同居人は地理学を専攻していた。

「僕はち、ち、地図の勉強をしてるんだよ」と彼は最初に僕に言った。

「地図が好きなの？」と僕は訊《たず》ねてみた。

「うん、将来は国土地理院に入ってさ、ち、地図を作るんだ」

世の中には実に様々な種類の希望があるものだと僕は思った。僕はそれまでいったいどのような人々がどのような動機に基いて地図を作っているのかなんて考えたこともなかった。それにだいいち「地図」という言葉を口にするたびにどもってしまう人間が国土地理院に入りたがっているというのもどうも奇妙だ。彼は場合によってどもったりどもらなかったりしたが、「地図」という言葉が出てくる限り百パーセント確実にどもった。

「君は何を専攻しているの？」と彼は訊ねた。

「演劇」と僕は言った。

「演劇って芝居やるんだろう？」

「違うよ、芝居はやらない。戯曲を読んで研究するだけさ。ラシーヌとかイヨネスコとかシェークスピアとかさ」

シェークスピア以外の人の名前は聞いたことないな、と彼は言った。僕だって殆《ほと》んど聞いたことない。講義要項にそう書いてあっただけだ。

「でもとにかくそういうのが好きなんだね?」と彼は言った。

「べつに好きじゃないよ」と僕は言った。

彼は混乱した。混乱するとどもりがひどくなった。僕はとても悪いことをしてしまったような気がした。

「なんでも良かったんだよ」と僕は説明した。「インド哲学だって東洋史だってさ、べつになんでもよかったんだよ。ただたまたま演劇だったんだ。それだけ」

「わからないな」と彼は言った。「ぼ、ぼ、僕の場合はち、地図が好きだからち、ち、地図の勉強をしてるわけだよね。そのためにわざわざ東京の大学に入ったんだし、そのぶん親に無理を言って金を出してもらっているしさ。でも君はそうじゃないしさ……」

彼の言っていることの方が正論だった。僕は説明をあきらめた。それから我々はくじを引いて二段ベッドの上下を決めた。彼が上段をとった。

彼はいつも白いシャツに黒いズボンという格好だった。頭は丸刈りで背が高く、頬《ほお》骨《ぼね》がはっていた。学校に行く時には学生服を着た。靴《くつ》も鞄《かばん》もまっ黒だった。見るからに右翼の学生といった格好だったし、まわりの連中の多くは実際にそう見なしていたけれど、本当のことを言えば彼は政治に対しては百パーセント無関心だった。洋服を選ぶのが面倒なのでいつもそんな格好をしているというだけの話だった。彼が関心を抱くのは海岸線の変化とか新しい鉄道トンネルの完成とかいった種類の出来事に限られていた。そういうことについて話しだすと、彼はどもりながら一時間でも二時間でも、こちらが悲鳴をあげるか眠ってしまうかするまでしゃべりつづけた。

毎朝六時きっかりに彼は起床した。「君が代」が目覚し時計のかわりだ。国旗掲揚もまるっきり役に立たないというわけではないのだ。そして服を着て洗面所に行き顔を洗う。顔を洗うのにすごく長い時間がかかる。歯を一本一本とりはずして磨《みが》いてるんじゃないかという気がするくらいだ。部屋に帰ってくるとタオルのしわをきちんとのばしてハンガーにかけ、歯ブラシと石鹸《せっけん》を棚に戻《もど》す。それからラジオをつけて、朝のラジオ体操を始める。

僕は夜も遅いしどちらかといえば熟睡する方だから、ラジオ体操が始まってもまだぐっすりと眠り込んでいることもある。しかしそんな時にも、跳躍の部分が来ると必ずとびおきることになった。何しろ彼が跳躍するたびに——彼は実に高く跳躍した——僕の頭は枕《まくら》の上で五センチも上下するのだ。眠っていられるわけがない。

「悪いけどさ」と僕は四日めに言った。「ラジオ体操は屋上かなんかでやってもらえないかな。目がさめちゃうんだ」

「駄目《だめ》だよ」と彼は言った。「屋上でやると三階の人から文句が来るんだ。ここなら一階で下はないしさ」

「じゃあ中庭でやれば」

「それも駄目だよ。どちらにしてもトランジスタ・ラジオがないから音楽が聴けない。音楽がないとうまくやれないんだ」

たしかに彼のラジオは電源式だったし、一方僕《ぼく》のラジオはトランジスタだったがFMしか入らなかった。

「じゃあ音を小さくして跳躍はやめてくれないかな。すごくひびくからさ。悪いけど」

「跳躍？」と彼は驚いたように言った。「ちょ、跳躍って何だ？」

「ほら、ぴょんぴょん跳ぶやつがあるだろうよ」

「そんなのないよ」

僕の頭は痛みはじめた。もうどうでもいいやという気分だった。しかし言いだしたからにはここで引き下がるわけにはいかない。それで僕はＮＨＫラジオ第一体操のメロディーを歌いながら床の上でぴょんぴょん跳んだ。

「ほら、これだよ。ちゃんとあるだろ？」

「そ、そうだな。たしかにあるな。気がつかなかった」

「だからさ」と僕は言った。「その部分だけを端折《はしょ》ってほしいんだよ。他《ほか》のところは我慢するからさ」

「駄目だよ」と彼は実にあっさりと言った。「ひとつだけ抜かすってわけにはいかないよ。十年もずっとやってるからね、やり始めると、む、無意識に全部やっちゃうんだ。ひとつ抜かすとさ、み、みんな出来なくなっちゃう」

「じゃ、ぜんぶやらなきゃいい」

「そういう言い方ってよくないよ。人に命令したりするのはさ」

「ねえ、俺《おれ》は何も命令なんかしてない。少くとも八時までは眠りたいし、もっと早く起きるとしてもごく自然に目覚めたいんだよ。パン食い競走やってるような目覚め方はしたくないんだ。それだけ。わかるか？」

「それはまあわかるよ」と彼は言った。

「で、どうすればいいと思う？」

「一緒に起きて体操すればいいんじゃないかな」

僕はあきらめて眠った。彼はそれからも一日も欠かさずラジオ体操をつづけた。

僕が同居人と彼のラジオ体操の話をすると、彼女はくすくす笑った。笑い話のつもりではなかったのだけれど、結局は僕も笑った。彼女の笑顔を見るのは——それはほんの一瞬のうちに消えてしまったのだけれど——本当に久し振りだった。

＊

僕と彼女は四ツ谷駅で電車を降りて、線路わきの土手を市ケ谷の方向に歩いていた。五月の日曜日の午後だった。朝方降った雨も昼前にはあがり、低くたれこめていた鬱《うっ》陶《とう》しい灰色の雲は、南からの風に追われるようにどこかに消えていた。くっきりとした緑の桜の葉が風に揺れて光っていた。日射《ひざ》しにはもう瑞々《みずみず》しい初夏の匂いがした。すれ違う人々の多くは上着やセーターを脱いで肩にかけていた。テニス・コートでは若い男がショート・パンツ一枚になってラケットを振っていた。ラケットの金属のふちが午後の太陽を受けてきらきらと輝いていた。

並んでベンチに座った二人の修道尼《シスター》だけがきちんと黒い冬の制服を身にまとっていた。それでも二人はとても楽しそうに話し込んでいたので、彼女たちの姿を見ていると、夏なんてまだずっと先のことのような気がした。

十五分も歩くと背中に汗がにじんだ。僕は厚い木綿のシャツを脱いでTシャツ一枚になった。彼女は淡いグレーのトレーナー・シャツの袖《そで》を肘《ひじ》の上までたくしあげていた。よく洗い込まれて色の落ちた古いトレーナー・シャツだった。ずっと前に彼女がそれを着ているのを見たことがあるような気がした。でもそんな気がしただけのことかもしれない。僕にはいろんなことがうまく思い出せなくなっていた。何もかもがおそろしく遠い昔に起こった出来事のように感じられた。

「他の人たちと一緒に暮すのって楽しい？」と彼女が訊ねた。

「わからないよ。まだそれほど長く暮したわけじゃないからね」

彼女は水飲み場の前で立ち止まって、ほんのひとくちだけ水を飲み、ズボンのポケットからハンカチを出して口を拭《ぬぐ》った。それからテニス・シューズの紐《ひも》をしめなおした。

「私ってそういうのに向いてるかしら？」

「共同生活のこと？」

「そう」と彼女は言った。

「どうかな。考えているよりは結構煩《わずら》わしいこと多いもんだよ。細かい規則とかラジオ体操とかね」

「そうね」と言って彼女はしばらく何かを考えていた。それから僕の目をじっとのぞきこんだ。彼女の目は不自然なくらいすきとおっていた。彼女がこんなにすきとおった目をしていたなんて僕はそれまで気づかなかった。ちょっと不思議な気のする独特な透明感だった。まるで空を眺《なが》めているみたいだ。

「でも、そうするべきじゃないかって時々思うの。つまり……」彼女はそう言うと、僕の目をのぞきこんだまま唇《くちびる》を嚙《か》みしめた。それから目を伏せた。「わからないわ。いいのよ」

それが会話の終りだった。彼女は再び歩き始めた。

彼女と会ったのは半年ぶりだった。半年のあいだに彼女は見違えるほどやせていた。特徴的だったふっくらとした頰の肉もあらかた落ち、首筋もすっかり細くなっていた。それでいて骨ばったという印象はまるでなかった。彼女はそれまでに僕が考えていたよりずっと綺麗《きれい》だった。僕はそれについて何かを言おうとしたが、どんな風に言えばいいのかわからなかったのでやめた。

我々は何かの目的があって四ツ谷に来たわけではなかった。僕と彼女は中央線の電車の中で偶然出会った。僕にも彼女にもべつに予定はなかった。降りましょうよと彼女が言って、我々は電車を降りた。それがたまたま四ツ谷駅だったというだけのことだ。二人きりになってみると、我々には話すことなんて何もなかった。彼女が何故《なぜ》僕に電車を降りようと言ったのか、僕にはわからなかった。話すことなんてそもそもの最初からないのだ。

駅を降りると、彼女は何も言わずにさっさと歩き始めた。僕はそのあとを追うように歩いた。僕と彼女のあいだにはいつも一メートルほどの距離があった。僕はずっと彼女の背中を見ながら歩いた。時々彼女は後を振り向いて僕に話しかけた。うまく答えられることもあれば、どう答えていいのか困るようなこともあった。何を言っているのかまるで聞きとれないということもあった。しかし彼女にはそれはべつにどうでもいいように見えた。彼女は自分の言いたいことを言ってしまうと、また前を向いて黙って歩きつづけた。

我々は飯田橋で右に折れ、お堀《ほり》ばたに出て、それから神保町《じんぼうちょう》の交差点を越えてお茶の水の坂を上り、そのまま本郷に抜けた。そして都電に沿って駒込《こまごめ》まで歩いた。ちょっとした道のりだ。駒込に着いた時には日はもうすっかり暮れていた。

「ここはどこなの？」と彼女は僕に訊ねた。

「駒込だよ」と僕は言った。「ぐるっと回っちゃったんだ」

「どうしてこんな所に来たの？」

「君が来たんだよ。僕はあとをついて来ただけさ」

我々は駅の近くのそば屋に入って軽い食事をした。注文してから食べ終るまで一言も口をきかなかった。僕は歩き疲れて体がばらばらになってしまいそうだったし、彼女はずっと何かを考え込んでいた。

「ずいぶん体が丈夫なんだな」とそばを食べ終ったあとで僕は言った。

「びっくりした？」

「うん」

「これでも中学校の頃《ころ》は長距離の選手だったのよ。それに父親が山が好きだったせいで、小さい頃から日曜日になると山登りしてたの。だから今でも足腰だけは丈夫ね」

「そうは見えないけれどね」

彼女は笑った。

「家《うち》まで送るよ」と僕は言った。

「いいわよ」と彼女は言った。「一人で帰れるから大丈夫。気にしないで」

「僕の方は全然構わないんだよ」

「本当にいいのよ。一人で帰るのは慣れてるから」

本当のことを言うと彼女がそう言ってくれたことで僕は少からずほっとした。彼女のアパートまでは電車で片道一時間以上かかったし、そのあいだ二人で黙りこくって座席に座っているというのもなんとなく気まずいものだ。結局彼女は一人で帰ることになった。そのかわり僕が食事を御馳走《ごちそう》した。

「ねえ、もしよかったら——迷惑じゃなかったらということなんだけど——また会えるかしら。もちろんこんなこと言える筋合じゃないことはわかってるんだけど」と別れ際《ぎわ》に彼女が言った。

「筋合なんてほどのものは何もないよ」と僕はびっくりして言った。

彼女は少し赤くなった。僕がびっくりしたのがたぶん伝わったのだと思う。

「うまく言えないのよ」と彼女は弁解した。彼女はトレーナー・シャツの両方の袖を肘のところまでひっぱりあげ、それからまたもとに戻した。電灯の光がうぶ毛をきれいな黄金色に染めた。「筋合なんて言うつもりなかったの。もっと違う風に言うつもりだったの」

彼女はテーブルに肘をついて両方の目を閉じ、うまい言葉を探した。でもそんな言葉は浮かんでこなかった。

「かまわないよ」と僕は言った。

「うまくしゃべれないのよ」と彼女は言った。「ここのところずっとそうなの。本当にうまくしゃべれないのよ。何かをしゃべろうとしても、いつも見当ちがいな言葉しか浮かんでこないの。見当ちがいだったり、まるで逆だったりね。それで、それを訂正しようとすると、もっと余計に混乱して見当ちがいになっちゃうの。そうすると最初に自分が何を言おうとしていたのかがわからなくなっちゃうの。まるで自分の体がふたつにわかれていてね、追いかけっこしてるみたいな、そんな感じなの。まん中にすごく太い柱が建っていてね、そこのまわりをぐるぐるまわりながら追いかけっこしてるのよ。それでちゃんとした言葉って、いつももう一人の私の方が抱えていて、私は絶対に追いつけないの」

彼女はテーブルの上に両手を置いて、僕の目をじっと見た。

「そういうのって、わかる?」

「誰《だれ》も多かれ少かれそういう感じってあるもんだよ」と僕は言った。「みんな自分を正確に表現できなくて、それでイライラするんだ」

僕がそう言うと、彼女は少しがっかりしたみたいだった。

「それとはまた違うの」と彼女は言ったが、それ以上は何も言わなかった。

「会うのはぜんぜん構わないよ」と僕は言った。「どうせいつも暇だし、一人でごろごろしているよりは歩いた方が健康に良いみたいだしね」

我々は駅で別れた。僕がさよならと言うと、彼女もさよならと言った。

＊

僕がはじめて彼女に会ったのは高校二年生の春だった。彼女も同じ歳《とし》で、ミッション系の品の良い女子校に通っていた。彼女を紹介してくれたのは僕の仲の良い友人で、彼と彼女は恋人同士だった。二人は小学校時代からの幼ななじみで、家も二百メートルとは離れていなかった。

多くの幼ななじみのカップルがそうであるように、彼らには二人きりでいたいという願望はあまりないようだった。しょっちゅうお互いの家を訪問して家族と一緒に食事をしたりしていた。僕とダブル・デートしたことも何回かある。でも結局僕の方のささやかな恋愛はあまりぱっとした成果をあげなかったので、なんとなく僕と友人と彼女の三人だけで遊ぶようになった。そして結果的にはそれがいちばん気楽だった。立場としては僕がゲストで彼が有能なホスト、彼女は感じの良いアシスタントであり同時に主役、というところだった。

彼はそういうのがとても得意だった。いくぶん冷笑的な傾向はあったが、本質的には親切で公平な男だった。彼は僕に対しても彼女に対しても同じように冗談を言ってからかった。どちらかが黙っていると、すぐそちらにしゃべりかけて上手《うま》く相手の話をひきだした。彼には瞬間的に状況を見きわめ、それに対応する能力があった。彼はまたたいして面白《おもしろ》くもない相手の話の中から面白い部分をいくつも見つけていくという得がたい才能も持ちあわせていた。だから彼と話していると、時々僕は自分がとても面白い人生を送っているような気分になったものだった。

しかし一度彼が席をはずしてしまうと、僕と彼女は上手く話すことができなかった。二人ともいったい何を話せばいいのかわからなかったのだ。実際、二人のあいだに共通する話題は何ひとつなかった。我々は大抵何もしゃべらずにテーブルの灰皿《はいざら》をいじったり水を飲んだりしながら彼が戻《もど》ってくるのを待った。彼が帰ってくると、また話が始まった。

彼の葬式の三ヵ月ばかりあとで、僕と彼女は一度だけ顔を合わせた。ちょっとした用事があって喫茶店で待ち合わせたのだが、用件が済んでしまうとあとはもう何も話すことはなかった。僕は何度か彼女に話しかけてみたが、話はいつも途中で切れてしまった。それに加えて彼女のしゃべり方にはどことなく角《かど》があった。彼女は何か僕にはわからないことで僕に対して腹を立てているように見えた。そして僕と彼女は別れた。

あるいは彼女が僕に腹を立てていたのは彼と最後に会ったのが彼女ではなく、僕だったからかもしれない。こういう言い方は良くないとは思うけれど、その気持はわかるような気がする。できることならかわってあげたかったと思う。しかしそれは結局のところ、どうしようもないことなのだ。一度起ってしまったことは、どんなに努力しても消え去りはしないのだ。

その五月の午後、僕と彼は高校の帰りに（帰りというよりは正確に言うと途中でひきあげてきたわけだけれど）ビリヤード場に寄って四ゲームほど玉を突いた。最初の一ゲームを僕が取り、あとの三ゲームを彼が取った。約束どおり僕がゲーム代を払った。

彼はその夜ガレージの中で死んだ。N３６０の排気パイプにゴムホースをつないで車の中にひきこみ、窓のすきまをガム・テープで目貼《めば》りしてからエンジンをふかしたのだ。死ぬまでにどれくらいの時間がかかったのか僕にはわからない。親戚《しんせき》の病気の見舞いにでかけていた両親が帰宅した時、彼は既に死んでいた。カー・ラジオがつけっぱなしになっていた。ワイパーにはガソリン・スタンドの領収書がはさんであった。

遺書もなければ思いあたる動機もなかった。最後に彼と会っていたせいで、警察に呼ばれて事情聴取された。そんなそぶりは何もありませんでした、いつもと全く同じでした、と僕は言った。だいたいこれから自殺しようと決めた人間がビリヤードで三ゲーム続けて勝つわけがないのだ。警察は僕に対しても彼に対してもあまり良い印象は持たなかったようだった。高校の授業をすっぽかしてビリヤード場に行くような人間なら自殺したって別に不思議はないと彼らは考えたようだった。新聞に小さな記事が載って、それで事件は終った。赤いN360は処分された。教室の彼の机にはしばらくのあいだ白い花が飾られていた。

高校を卒業して東京に出てきた時、僕《ぼく》のやるべきことはひとつしかなかった。あらゆるものごとを深刻に考えすぎないようにすること──それだけだった。僕は緑のフエルトを貼ったビリヤード台や、赤いN360や、机の上の白い花や、そんなものはみんな忘れてしまうことにした。火葬場の高い煙突から立ちのぼる煙や、警察の取調べ室においてあったずんぐりとした文鎮や、そんな何もかもをだ。はじめのうちはそれで上手くいきそうに見えた。しかし僕の中には何かしらぼんやりとした空気のようなものが残った。そして時が経《た》つにつれてその空気ははっきりとした単純な形をとりはじめた。僕はその形を言葉に置きかえることができる。こういうことだ。

死は生の対極としてではなく、その一部として存在している。

言葉にしてしまうと嫌《いや》になってしまうくらい平凡だ。まったくの一般論だ。しかし僕はその時それをことばとしてではなくひとつの空気として身のうちに感じたのだ。文鎮の中にもビリヤード台に並んだ四個のボールの中にも死は存在していた。そして我々はそれをまるで細かいちりみたいに肺の中に吸い込みながら生きてきたのだ。

僕はそれまで死というものを完全に他者から分離した独立存在として捉《とら》えていた。つまり「死はいつか確実に我々を捉える。しかし逆に言えば、死が我々を捉えるその日まで、我々は死に捉えられはしないのだ」と。それは僕には至極まともで論理的な考え方であるように思えた。生はこちら側にあり、死はあちら側にある。しかし僕の友だちが死んでしまったあの夜を境として、僕にはもうそのように単純に死を捉えることはできなくなった。死は生の対極存在ではない。死は既に僕の中にあるのだ。そして僕にはそれを忘れ去ることなんてできないのだ。何故ならあの十七歳の五月の夜に僕の友人を捉えた死は、その夜僕をもまた捉えていたのだ。

僕ははっきりとそれを認識した。そして認識すると同時に、それについては深刻に考えまいとした。それはとてもむずかしい作業だった。何故なら僕はまだ十八で、ものごとの中間点を求めるにはまだ若すぎたからだった。

＊

僕はそれからも月に一度か二度、彼女と会ってデートをした。たぶんデートと呼んでいいのだと思う。それ以外にうまい言葉を思いつけない。

彼女は東京の郊外にある女子大に通っていた。こぢんまりとした評判の良い女子大だった。彼女のアパートから大学までは歩いて十分もかからなかった。道筋には綺麗《きれい》な用水が流れていて、時々はそのあたりを歩きまわったりもした。彼女には友だちも殆《ほと》んどいないようだった。彼女は相変らずぽつりぽつりとしか口をきかなかった。とくにしゃべることもなかったから、僕もあまりしゃべらなかった。顔を合わせると、我々はただひたすら歩いた。

しかし何ひとつ進歩がないというわけではなかった。夏休みが終るころには彼女はごく自然に僕の隣りを歩くようになった。我々は肩を並べて歩いた。坂を上り坂を下り、橋を渡り通りを越え、我々は歩きつづけた。どこに行くというあてもなく、何をしようという目的もなかった。ひとしきり歩くと喫茶店に入ってコーヒーを飲み、コーヒーを飲み終るとまた歩いた。スライドのフィルムが入れ替るみたいに、季節だけがとおり過ぎていった。秋がやってきて、寮の中庭がけやきの枯葉で覆《おお》い尽された。

セーターを着ると新しい季節の匂《にお》いがした。僕は新しいスエードの靴《くつ》を買った。

秋が終り冷たい風が吹くようになると、彼女は時々僕の腕に体を寄せた。ダッフル・コートの厚い布地をとおして、僕は彼女の息づかいを感じとることができた。でも、それだけだった。僕はコートのポケットに両手をつっこんだまま、いつもと同じように歩きつづけた。僕も彼女もラバー・ソールの靴をはいていたので足音は聞こえなかった。プラタナスのくしゃくしゃになった枯葉を踏む時にだけ、乾いた音がした。彼女の求めているのは僕の腕ではなく、誰かの腕だった。彼女の求めているのは僕の温《ぬく》もりではなく、誰かの温もりだった。少くとも僕にはそんな風に思えた。

彼女の目は前にも増して透明に感じられるようになった。どこにも行き場のない透明さだった。時々彼女は何の理由もなく、僕の目をじっとのぞきこんだ。そのたびに僕は悲しい気持になった。

寮の連中は彼女から電話がかかってきたり日曜の朝に僕がでかけたりすると、いつも僕を冷やかした。当然のことではあるが、みんなは僕に恋人ができたものだと思いこんでいた。説明のしようもないし、する理由もないので、僕はそのままにしておいた。デートから帰ってくると必ず誰かがセックスの具合について質問した。まあまだよ、と僕はいつも答えた。

そのようにして、僕の十八歳は過ぎていった。日が上り、日が沈み、国旗が上ったり降りたりした。そして日曜日には死んだ友だちの恋人とデートをした。いったい自分が今何をしているのか、これから何をしようとしているのか、僕にはまるでわからなかった。僕は大学の講義でクローデルを読み、ラシーヌを読み、エイゼンシュタインを読んだ。彼らはみんなまともな文章を書いていたが、それだけだった。僕はクラスでは殆んど友だちを作らなかった。寮の連中とのつきあいもだいたい同じようなものだった。僕はいつも本を読んでいたので、みんなは僕が小説家になりたがっているのだと思っていたが、僕は小説家になんかなりたくはなかった。何にもなりたくなかった。

僕はそんな気持を何度か彼女に話そうとした。彼女なら僕の考えていることを正確にわかってくれそうな気がした。しかし僕にはうまく話すことはできなかった。彼女が最初に僕に言ったように、正確な言葉を探そうとするとそれはいつも僕には手の届かない闇《やみ》の底に沈みこんでいた。

土曜日の夜になると、僕は電話のあるロビーの椅子《いす》に座って、彼女からの電話を待った。電話は三週間かかってこないこともあれば、二週つづけてかかってくることもあった。それで土曜日の夜にはロビーの椅子の上で彼女の電話を待った。土曜日の夜には大半の学生は遊びにでかけていたから、ロビーはたいていしんとしていた。僕はいつもそんな沈黙の空間に浮かぶ光の粒子を見つめながら、自分の心を見定めようと努力してみた。誰もが誰かに何かを求めていた。それは確かだった。しかしその先のことは僕にはわからなかった。僕が手をのばしたそのほんの少し先に、漠然《ばくぜん》とした空気の壁があった。

冬のあいだ僕は新宿の小さなレコード店でアルバイトをした。クリスマスには彼女の好きな「ディア・ハート」の入ったヘンリー・マンシーニのレコードをプレゼントした。僕が包装し、ピンクのリボンをかけた。もみの木の絵柄《えがら》のクリスマス用の包装紙だった。彼女は僕に毛糸の手袋を編んでくれた。親指の部分が少し短かすぎたが、暖いことに変りはなかった。

彼女は冬休みに家に帰らなかったので、僕は正月のあいだ彼女のアパートで食事をさせてもらった。

その冬にはいろんなことが起った。

一月の末に僕の同居人が四十度近い熱を出して二日間寝こんだ。おかげで僕は彼女とのデートをすっぽかしてしまうことになった。今にも死ぬんじゃないかといった苦しみ方だったし、放《ほ》ったらかして出かけるわけにもいかなかった。僕以外に看病してくれそうな人間も見あたらなかった。僕は氷を買ってきてビニール袋で氷のうを作り、タオルを冷やして汗を拭《ふ》き、一時間ごとに熱を測った。熱はまる一日引かなかった。しかし二日めの朝には彼は何もなかったようにむっくりと起きあがった。体温は三十六度二分まで下っていた。

「おかしいなあ」と彼は言った。「これまで熱なんて出したことないんだけどな」

「でも出たんだよ」と僕は言った。それからそのおかげでふいにしてしまった二枚のコンサートの招待券を見せた。

「でもまあ招待券でよかったよ」と彼は言った。

二月には何度か雪が降った。

二月の終り頃《ごろ》に僕はつまらないことで喧嘩《けんか》をして寮の同じ階に住む上級生を殴った。相手はコンクリートの壁に頭をぶっつけた。幸いたいした怪我《けが》はなかったが、僕は寮長室に呼ばれて注意を受けた。おかげで寮の居心地がひどく悪くなった。

僕は十九になり、やがて二年生になった。僕はいくつかの単位を落とした。成績は殆んどがCかDで、Bがほんの少しあるだけだった。彼女の方はひとつも単位を落とすことなく二年生になった。季節がひとまわりしたのだ。

六月に彼女は二十歳《はたち》になった。彼女が二十歳になるというのはなんとなく不思議な感じがした。僕にしても彼女にしても本当は十八と十九のあいだを行ったり来たりしている方が正しいんじゃないかという気がした。十八の次が十九で、十九の次が十八——それならわかる。でも彼女は二十歳になった。僕も次の冬には二十歳になる。死者だけがいつまでも十七歳だった。

誕生日は雨だった。僕は新宿でケーキを買って電車に乗り、彼女のアパートに行った。電車は混《こ》んでいて、おまけによく揺れた。おかげで夕方彼女の部屋に辿《たど》りついた時には、ケーキはローマの遺跡みたいな形に崩れていた。それでも一応二十本のロウソクを立て、マッチで火をつけた。窓のカーテンをしめて電気を消すと、なんとか誕生日らしくなった。彼女がワインを開けた。それからケーキを食べ簡単な食事をした。

「二十歳になるなんて、なんだか馬鹿《ばか》みたいね」と彼女は言った。食事が終ると二人で食器をかたづけ、床に座ってワインの残りを飲んだ。僕が一杯飲むあいだに彼女は二杯飲んだ。

彼女はその日は珍しくよくしゃべった。子供の頃のことや学校のことや家庭のことを話した。どれもとても長い話だった。長いうえに異常なくらい克明な話だった。Aの話がいつのまにかそこに含まれるBの話になり、やがてBに含まれるCの話になり、それがどこまでもどこまでも続いた。終りがなかった。僕ははじめのうちは適当にあいづちを打っていたが、そのうちにそれもやめた。僕はレコードをかけ、それが終ると針を上げて次のレコードをかけた。ひととおり全部かけてしまうと、また最初のレコードをかけた。窓の外では雨が降りつづいていた。時間はゆっくりと流れ、彼女は一人でしゃべりつづけていた。

時計が十一時をさした時、僕はさすがに不安になった。彼女はもう四時間もしゃべりつづけていた。帰りの最終電車の時刻も近づいていた。どうすればいいのか僕にはわからなかった。彼女にしゃべりたいだけしゃべらせてしまった方が良いようにも思えたし、頃合をみはからってどこかで止めた方が良いようにも思えた。僕はずいぶん迷ったが、結局話を止《や》めさせることにした。いくらなんでも彼女はしゃべりすぎていた。

「あまり遅くなっても悪いからそろそろ引きあげるよ」と僕は言った。「近いうちにまた会おうよ」

僕の言ったことが彼女に伝わったのかどうかはわからなかった。彼女はほんの少しのあいだ口をつぐんだだけで、またすぐにしゃべりはじめた。僕はあきらめて煙草《たばこ》に火をつけた。こうなったら彼女にしゃべりたいだけしゃべらせた方が良さそうだった。あとのことはなりゆきにまかせるしかない。

しかし彼女の話は長くはつづかなかった。ふと気がついた時、彼女の話は既に終っていた。言葉の切れ端が、もぎとられたような格好で空中に浮かんでいた。正確に言えば彼女の話は終ったわけではなかった。どこかで突然消えてしまったのだ。彼女はなんとか話しつづけようとしたが、そこにはもう何もなかった。何かが損われてしまったのだ。彼女は唇《くちびる》を微《かす》かに開いたまま、ぼんやりと僕の目を見ていた。まるで不透明な膜をとおしたような、そんな視線だった。僕はひどく悪いことをしてしまったような気がした。

「邪魔するつもりはなかったんだ」と僕は一言ひとことを確認するようにゆっくりと言った。「でももう時間も遅いし、それに……」

彼女の目から溢《あふ》れた涙が頬《ほお》を流れ、レコード・ジャケットの上に音を立てて落ちるまでに一秒とかからなかった。最初の涙が流れてしまうと、あとはとめどがなかった。彼女は両手を床につき、まるで吐く時のような格好で泣いた。僕はそっと手を伸ばして彼女の肩に触れた。彼女の肩は小刻みに震えていた。それから僕は殆んど無意識に彼女の体を抱き寄せた。彼女は僕の胸の中で声を出さずに泣いた。熱い息と涙とで僕のシャツが濡《ぬ》れた。彼女の十本の指がまるで何かを探し求めるように僕の背中を彷徨《さまよ》っていた。僕は左手で彼女の体を支え、右手で細い髪を撫《な》でた。僕は長いあいだ、そのままの姿勢で彼女が泣き止むのを待った。彼女は泣き止まなかった。

＊

その夜、僕は彼女と寝た。そうすることが正しかったのかどうか僕にはわからない。でもそれ以外にどうすればよかったのだろう？

女の子と寝るのは本当に久しぶりだった。彼女の方はその時が初めてだった。僕はどうして彼と寝なかったのか訊《たず》ねてみた。でもそんなことは訊ねるべきではなかったのだ。彼女は何も答えなかった。そして僕の体から手を離し、僕に背中を向けて窓の外の雨を眺《なが》めた。僕は天井を眺めながら煙草を吸った。

朝になると雨はあがっていた。彼女は背中を向けて眠っていた。あるいは彼女はずっと起きていたのかもしれない。でもどちらにしても僕にとっては同じことだった。

一年前と同じ沈黙がすっぽりと彼女を覆っていた。僕はしばらくそのまま彼女の白い背中を眺めていたが、やがてあきらめてベッドから起きあがった。

床にはレコード・ジャケットが昨夜のままにちらばっていた。テーブルの上には形の崩れたケーキが半分残っていた。まるでそこで突然時間の流れが止まってしまったような、そんな感じだった。机の上には辞書とフランス語の動詞表が載っていた。机の前の壁にはカレンダーが貼《は》ってあった。写真も絵も何もない数字だけのカレンダーだった。カレンダーは真白だった。書き込みもなく、しるしもなかった。

僕はベッドの足もとに落ちていた服を拾って着た。シャツの胸はまだ冷たく湿っていた。顔を近づけると彼女の髪の匂いがした。

僕は机の上のメモ用紙に、近いうちに電話をしてほしいと書いた。そして部屋を出て、そっとドアを閉めた。

一週間経《た》っても電話はかかってこなかった。彼女のアパートは電話の取り次ぎをしてくれなかったので、僕は長い手紙を書いた。僕は自分が感じていることをできるだけ正直に書いた。僕にはいろんなことがよくわからないし、わかろうとは努めているけれど、それには時間がかかる。そして時間が経ってしまったあとでいったい自分がどこにいるのか、僕には見当もつかない。でも僕はなるべく深刻にものごとを考えまいとしている。深刻に考えるには世界はあまりにも不確実だし、たぶんその結果としてまわりの人間に何かを押しつけてしまうことになると思う。僕は他人に何かを押しつけたりはしたくない。君にはとても会いたい。でも前にも言ったように、それが正しいことなのかどうか僕にはわからない――そんな内容の手紙だった。

七月の始めに返事が来た。短い手紙だった。

大学をとりあえず一年間休学することにしました。とりあえずといっても、もうたぶん戻《もど》ることはないと思います。休学というのはあくまで手続き上のことです。アパートは明日引き払います。急な話だと思うかもしれないけれど、これは前々から考えていたことなのです。あなたにも何度か相談しようと思ったのだけれど、どうしてもできませんでした。口に出しちゃうのがとても恐《こわ》かったのです。いろんなことを気にしないで下さい。たとえ何が起こっていたとしても、何が起こっていなかったとしても、結局はこうなったんだという気がします。あるいはこういった言い方はあなたを傷つけることになるのかもしれません。もしそうだとしたら謝ります。ただ私の言いたいのは、私のことであなたに自分自身を責めたり他《ほか》の誰《だれ》かを責めたりしないでほしいということなのです。これは本当に私がきちんと全部引き受けるべきことなのです。この一年あまり私はそれをのばしのばしにしてきて、そのせいであなたにもずいぶん迷惑をかけてしまったように思います。そしてたぶん、これが限界です。

京都の山の中に良い療養所があるそうなので、とりあえずそこに落ちつくことにします。病院ではなく、ずっと自由な施設です。細かいことについては別の機会に書きます。今はうまく書けないのです。この手紙ももう十回くらい書きなおしています。あなたが一年間私のそばにいてくれたことについて、私はとても、口では言い現わせないくらい感謝しています。そのことだけは信じて下さい。それ以上のことは私には何も言えません。あなたに頂いたレコードはずっと大事に聴いています。

いつかもう一度、この不確実な世界のどこかであなたに会うことができたとしたら、その時にはもっといろんなことがきちんと話せるようになっているんじゃないかと思います。

さよなら。

僕《ぼく》は何百回となくこの彼女の手紙を読みかえした。そして読みかえすたびにたまらなく悲しい気持になった。それはちょうど、彼女にじっと目をのぞきこまれている時に感じるのと同じようなやり場のない悲しみだった。僕はそんな気持をどこに持って行くことも、どこに仕舞いこむこともできなかった。それは風のように輪郭も無く、重さもなかった。僕はそれを身にまとうことすらできなかった。風景が僕の前をゆっくりと通り過ぎていった。彼らの語る言葉は僕の耳には届かなかった。

土曜日の夜になると僕は相変らずロビーの椅子に座って時間を過した。電話のかかってくるあてはなかったが、それ以外にいったい何をすればいいのか僕にはわからなかった。僕はいつもテレビの野球中継をつけて、それを見ているふりをしていた。そして僕とテレビのあいだに横たわる茫漠《ぼうばく》とした空間を見つめていた。僕はその空間を二つに区切り、その区切られた空間をまた二つに区切った。そしてそれを何度も何度もつづけ、最後には手のひらに載るくらいの小さな空間を作りあげた。

十時になると僕はテレビを消して部屋に戻り、そして眠った。

＊

その月の終りに、僕の同居人がインスタント・コーヒーの瓶《びん》に入れた螢《ほたる》をくれた。

瓶の中には螢が一匹と草の葉と水が少し入っていた。ふたには細かい空気穴が幾つか開いていた。あたりはまだ明るかったので、それはただの水辺の黒い虫にしか見えなかった。しかしよく見ると、たしかにそれは螢だった。螢はつるつるとしたガラスの壁をよじのぼろうとしてはそのたびに下に滑り落ちていた。そんなに真近に螢を見たのは久しぶりだった。

「庭にいたんだよ。近くのホテルが客寄せに放したのがこちらに紛れ込んできたんだね」と彼はボストン・バッグに衣類やノートをつめこみながら言った。もう夏休みに入って何週間も経っていた。寮に残っているのは我々くらいのものだった。僕の方は家に帰りたくなかったし、彼の方は実習があったからだ。でもその実習も終り、彼は家に帰ろうとしていた。

「女の子にあげるといいよ。きっと喜ぶからさ」と彼は言った。

「ありがとう」と僕は言った。

日が暮れると寮はしんとした。国旗がポールから降ろされ、食堂の窓に電気が灯《とも》った。学生が少くなったせいで、食堂の灯《ひ》はいつもの半分だけしか点《つ》いていなかった。右半分が消えて、左半分だけが点いていた。それでも微かに夕食の匂《にお》いがした。クリーム・シチューの匂いだった。

僕は螢の入ったインスタント・コーヒーの瓶を持って屋上に上った。屋上には人影はなかった。誰かがとりこみ忘れた白いシャツが洗濯《せんたく》ロープにかかって、何かのぬけがらのように夕暮の風に揺れていた。僕は屋上の隅《すみ》にある錆《さ》びた鉄の梯子《はしご》を上って、給水塔の上に出た。円筒形の給水タンクは昼のあいだにたっぷりと吸い込んだ熱で、まだ温かった。狭い空間に腰を下ろし手すりにもたれかかると、ほんの少しだけ欠けた白い月が目の前に浮かんでいた。右手には新宿の街が、左手には池袋の街が見えた。車のヘッド・ライトが鮮かな光の川となって、街から街へと流れていた。様々な音が混じりあったやわらかなうなりが、まるで雲のように街の上に浮かんでいた。

瓶の底で、螢は微かに光っていた。しかしその光はあまりにも弱く、その色はあまりにも淡かった。僕の記憶の中では螢の灯はもっとくっきりとした鮮かな光を夏の闇《やみ》の中に放っているはずだ。そうでなければならないのだ。

螢は弱って死にかけているのかもしれない。僕は瓶のくちを持って何度か振ってみた。螢はガラスの壁に体を打ちつけ、ほんの少しだけ飛んだ。しかしその光はあいかわらずぼんやりとしていた。

たぶん僕の記憶が間違っているのだろう。螢の灯は実際にはそれほど鮮明なものではなかったのかもしれない。僕がただそう思い込んでいただけのことなのかもしれない。あるいはその時僕を囲んでいた闇があまりにも深かったせいなのかもしれない。僕にはうまく思い出せなかった。最後に螢を見たのがいつのことだったのかも思い出せなかった。

僕が覚えているのは夜の暗い水音だけだった。煉瓦《れんが》づくりの古い水門もあった。ハンドルをぐるぐると回して開け閉めする水門だ。岸辺にはえた水草が川の水面をあらかた覆《おお》い隠しているような小さな流れだった。あたりは真暗で、水門のたまりの上を何百匹という螢が飛んでいた。その黄色い光のかたまりが、まるで燃えさかる火の粉のように水面に照り映えていた。

あれはいつのことだったのだろう？　そしていったい何処《どこ》だったのだろう。

うまく思い出せない。

今となってはいろんなことが前後し、混じりあってしまっている。

僕は目を閉じて、気持を整理するために何度か深呼吸してみた。じっと目を閉じていると、体が今にも夏の闇の中に吸いこまれてしまいそうな気がする。考えてみれば日が暮れてから給水塔にのぼったのははじめてだった。いつもより風の音がくっきりと聞こえた。たいして強い風でもないはずなのに、それは不思議なほど鮮やかな軌跡を残して僕のわきを吹き抜けていった。ゆっくりと時間をかけて、夜が地表を覆っていった。都市の光がどれほど強くその存在を際立《きわだ》たせようと、夜はその取り分を確実に運び去っていった。

僕は瓶のふたを開け、螢をとり出して、三センチばかりつきでた給水塔の縁に置いた。螢は自分の置かれた状況がうまく把《つか》めないようだった。螢はボルトのまわりをよろめきながら一周したり、かさぶたのようにめくれあがったペンキに足をかけたりしていた。しばらく右に進んでそこが行きどまりであることをたしかめてから、また左に戻った。それから時間をかけてボルトの頭の上によじのぼり、そこにじっとうずくまった。螢はまるで息絶えてしまったみたいに、そのままぴくりとも動かなかった。

僕は手すりにもたれかかったまま、そんな螢の姿を眺めていた。長いあいだ、我々は動かなかった。風だけが、我々のあいだを、川のように流れていった。けやきの木が闇の中で無数の葉をこすりあわせた。

僕はいつまでも待ちつづけた。

螢がとびたったのはずっとあとのことだった。螢は何かを思いついたようにふと羽を拡《ひろ》げ、その次の瞬間には手すりを越えて淡い闇の中に浮かんでいた。そしてまるで失われた時間を取り戻そうとするかのように、給水塔のわきで素早く弧を描いた。そしてその光の線が風ににじむのを見届けるべく少しのあいだそこに留《とど》まってから、やがて東に向けて飛び去っていった。

螢が消えてしまったあとでも、その光の軌跡は僕の中に長く留まっていた。目を閉じた厚い闇の中を、そのささやかな光は、まるで行き場を失った魂のように、いつまでもさまよいつづけていた。

僕は何度もそんな闇の中にそっと手を伸ばしてみた。指は何にも触れなかった。その小さな光は、いつも僕の指のほんの少し先にあった。

納《な》屋《や》を焼く

彼女とは知りあいの結婚パーティーで顔を合わせ、仲良くなった。三年前のことだ。僕《ぼく》と彼女はひとまわり近く歳《とし》が離れていた。彼女は二十歳で、僕は三十一だった。でもそれはべつにたいした問題ではなかった。僕はちょうどその頃《ころ》頭を悩まさなければならないことが他《ほか》にいっぱいあったし、正直なところ歳のことなんていちいち考えている暇もなかった。彼女はそもそもの最初から歳のことなんて考えもしなかった。僕は結婚していたが、それも問題にならなかった。彼女は年齢とか家庭とか収入とかいったものは足のサイズや声の高低や爪《つめ》の形なんかと同じで純粋に先天的なものだと思いこんでいるようだった。要するに考えてどうにかなるという種類のものではないのだ。そう言われてみれば、それはまあそうだ。

彼女はなんとかという有名な先生についてパントマイムの勉強をしながら、生活のために広告モデルの仕事をしていた。とはいっても彼女は面倒臭がって、エージェントからまわってくる仕事の話をしょっちゅう断っていたので、その収入は本当にささやかなものだった。収入の足りない部分は主に彼女の何人かのボーイ・フレンドたちの好意で補われているようだった。もちろんはっきりしたことはわからない。彼女のことばのはしばしから、たぶんそんな風なんじゃないかと想像してみただけだ。とはいっても僕は、彼女がお金のために男と寝るとか、そういうことを言っているわけではない。たぶんもっと、ずっと単純なことなのだ。そしてそれがあまり単純すぎるので、いろんな人間が自分のふだん抱いているぼんやりとした感情をいくつかの明確な形に――たとえば「好意」とか「愛情」とか「あきらめ」とかいったものに――反射的に、自分でもよくわからないうちに、転換させてしまうのだ。うまく説明できないけれど、要するにそういうことだと思う。

もちろんそんな作用がいつまでもいつまでも続くというものではない。そんなものが永遠に続くとしたら、宇宙のしくみそのものがひっくりかえってしまう。それが起り得るのは、ある特定の場所で、ある特定の時期だけだ。それは「蜜柑《みかん》むき」と同じことなのだ。

「蜜柑むき」の話をしよう。

最初に知りあった時、彼女は僕にパントマイムの勉強をしているの、と言った。

へえ、と僕は言った。たいしてびっくりもしなかった。最近の若い女の子はみんな何かをやっている。それに彼女は何かに真剣に打ちこんで才能を磨《みが》いていくといったタイプには見えなかった。

それから彼女は「蜜柑むき」をやった。「蜜柑むき」というのは文字どおり蜜柑をむくわけである。彼女の左側に蜜柑が山もりいっぱい入ったガラスの鉢《はち》があり、右側に皮を入れる鉢がある――という設定である――本当は何もない。彼女はその想像上の蜜柑をひとつ手にとって、ゆっくりと皮をむき、ひと房ずつ口にふくんでかすをはきだし、ひとつぶんを食べ終えるとかすをまとめて皮でくるんで右手の鉢に入れる。その動作を延々と繰り返すわけである。言葉で説明すると、これはべつにたいしたことではない。しかし実際に目の前で十分も二十分もそれを眺《なが》めていると――僕と彼女はバーのカウンターで世間話をしていて、彼女は話しながら殆《ほと》んど無意識にその「蜜柑むき」をつづけていた――だんだん僕のまわりから現実感が吸いとられていくような気がしてくるのだ。これはすごく変な気持だ。昔アイヒマンがイスラエルの法廷で裁判にかけられた時、密室にとじこめて少しずつ空気を抜いていく刑がふさわしいと言われたことがある。どんな死に方をするのか、くわしいことはよくわからないけれど、僕はふとそのことを思い出した。

「君にはどうも才能があるようだな」と僕は言った。

「あら、こんなの簡単よ。才能でもなんでもないのよ。要するにね、そこに蜜柑があると思いこむんじゃなくて、そこに蜜柑がないことを忘れればいいのよ。それだけ」

「まるで禅だね」

僕はそれで彼女が気にいった。

僕と彼女はそれほどしょっちゅう会っていたわけではない。だいたい月に一回、多くて二回くらいのものだった。我々は食事をしてからバーに行ったり、ジャズ・クラブに行ったり、夜の散歩をしたりした。

彼女と二人でいると、僕はとてものんびりとした気持になることができた。やりたくもない仕事のことや、結論の出しようもないつまらないごたごたや、わけのわからない人間が抱くわけのわからない思想のことなんかをさっぱりと忘れ去ることができた。彼女にはなにかしらそういう能力があった。彼女の話す言葉の殆んどには百パーセント意味なんてなかったけれど、それに耳を傾けていると、遠くを流れる雲を眺めている時のように、ひどくぼんやりとして心地良かった。

僕もいろいろと話をしたけれど、たいしたことは何ひとつ話さなかった。話すべきことはべつに何もなかった。

本当にそうなのだ。

話すべきことなんて何もないのだ。

二年前の春に、彼女の父親が心臓病で死んで、少しまとまった額の現金が彼女のものになった。少くとも彼女の話によればそういうことだった。彼女はその金でしばらく北アフリカに行きたいと言った。どうして北アフリカなのかはよくわからなかったけれど、ちょうど僕は東京のアルジェリア大使館に勤めている女の子を知っていたので、彼女に紹介した。それで彼女はアルジェリアに行った。なりゆき上、僕が空港まで見送りに行った。彼女は着がえを詰めこんだみすぼらしいボストン・バッグをひとつさげているきりだった。彼女ははたから見ると北アフリカに行くというよりは、北アフリカに帰っていくという感じで荷物チェックをうけていた。

「本当に日本に帰ってくるんだろうね？」と僕は訊《たず》ねてみた。

「もちろん帰ってくるわよ」と彼女は言った。

三ヵ月後に彼女は日本に帰ってきた。出かけた時よりも三キロやせて、まっ黒に日焼けしていた。そして新しい恋人をつれていた。二人はアルジェのレストランで知りあったそうだった。アルジェリアにいる日本人の数は少いから、二人はすぐに仲良くなり、恋人になった。僕の知る限りでは、彼女にとっては彼が最初の、きちんとした形の恋人だった。

彼は二十代後半で、背が高く、いつもきちんとした身なりをして、丁寧な言葉づかいをした。幾分表情には乏しいが、まあハンサムな部類に属するし、感じも悪くなかった。手が大きく、指は長い。

どうしてその男のことをそんなにくわしく知っているかというと、僕が空港まで二人を出迎えに行ったからだ。突然ベイルートから電報が届いて、そこにはただ日付けとフライト・ナンバーだけが書いてあった。空港に来てほしいということらしかった。飛行機が着くと――飛行機は悪天候のために実に四時間も遅れて、そのあいだ僕はコーヒー・ルームでフォークナーの短篇集《たんぺんしゅう》を読んでいた――二人が腕を組んでゲートから出てきた。二人は感じの良い若夫婦みたいに見えた。彼女が僕に男を紹介した。我々は殆んど反射的に握手をした。外国で長く暮していた人がよくやるようなしっかりとした握手だった。それから我々はレストランに入った。彼女はどうしても天丼《てんどん》が食べたいと言って天丼を食べ、僕と彼は生ビールを飲んだ。

貿易の仕事をしているんです、と彼は言った。しかし仕事の内容についてはそれ以上何も言わなかった。あまり自分の仕事の話をしたくないのか、それとも僕が退屈すると思って遠慮してしゃべらないのか、そのへんのところがよくわからなかった。でも僕の方もとくに貿易の話が聞きたいわけではないので、あえて質問はしなかった。話すことがないので、ベイルートの治安状態やチュニスの上水道の話をした。彼は北アフリカから中東にかけての状勢にはかなりくわしいようだった。

天丼を食べ終えてしまうと、彼女は大きなあくびをして、眠いと言った。そのまま眠りこんでしまいそうな感じだった。言い忘れたけれど、所かまわず眠くなるのが彼女の癖だ。彼がタクシーで家まで送ると言った。僕は電車の方が早いから電車で帰ると言った。なんのためにわざわざ空港まで来たのか、わけがわからなかった。

「お会いできて嬉《うれ》しかったです」と彼は僕に向って申しわけなさそうに言った。

「こちらこそ」と僕も言った。

僕はそれから何回か彼と顔をあわせることになった。僕がどこかで偶然彼女に会ったりすると、そのわきには必ず彼がいた。僕が彼女とデートすると、待ちあわせの場所まで彼が車で送ってきたりすることもあった。彼はしみひとつない銀色のドイツ製のスポーツ・カーに乗っていた。僕は車のことは殆んど何も知らないので詳しい説明はできないけれど、なんだかフェデリコ・フェリーニの白黒映画に出てきそうな感じの車だった。

「きっとすごくお金持なんだね」と僕は一度彼女に訊ねてみた。

「そうね」と彼女はあまり興味なさそうに言った。「きっとそうなんでしょうね」

「貿易の仕事ってそんなにもうかるのかな?」

「貿易の仕事?」

「彼がそう言ってたよ。貿易の仕事をしてるんだってさ」

「じゃあ、そうなんでしょ。でも……よくわかんないのよ。だってべつに働いているようにも見えないんだもの。よく人に会ったり電話をかけたりはしてるみたいだけど、とくに必死になっているって風でもないし」

「まるでギャツビイだね」

「なあに、それ?」

「なんでもないよ」と僕は言った。

＊

十月の日曜日の午後に、彼女から電話がかかってきた。妻は朝から親戚《しんせき》の家にでかけていて、僕は一人だった。よく晴れた気持の良い日曜日で、僕は庭のくすの木を眺めながらりんごを食べていた。僕はその日だけでもう七個もりんごを食べていた。

「今、おたくのわりと近くにいるんだけれど、これから二人で遊びにうかがっていいかしら？」と彼女は言った。

「二人？」と僕はききかえした。

「私と彼よ」と彼女は言った。

「いいよ、もちろん」と僕は言った。

「じゃあ、あと三十分で行くわ」と彼女は言った。そして電話は切れた。

僕はソファーの上でしばらくぼんやりしてから浴室に行ってシャワーを浴び、髭《ひげ》を剃《そ》った。そして体を乾かしながら耳の掃除をした。部屋をかたづけようかどうしようか迷ったが、結局あきらめた。全部をきちんとかたづけるには時間が不足していたし、全部をきちんとかたづけられないのなら何もしない方がまだましなような気がした。部屋には本やら雑誌やら手紙やらレコードやら鉛筆やらセーターなんかがいっぱいにちらばっていたけれど、とりたてて不潔な感じはしなかった。仕事をひとつ終えたばかりで何をする気にもなれない。僕はソファーに腰を下ろして、くすの木を見ながらもう一個りんごを食べた。

彼らは二時過ぎにやってきた。家の前でスポーツ・カーの停《と》まる音が聞こえた。玄関に出てみると見覚えのある銀色のスポーツ・カーが道路に停まっていた。僕のガール・フレンドが窓から顔を出して手を振っていた。僕《ぼく》は車を裏庭の駐車スペースに案内した。

「来たわよ」とにこにこしながら彼女が言った。彼女は乳首の形がくっきりと見えるくらい薄いシャツを着て、オリーブ・グリーンのミニ・スカートをはいていた。

彼はヨーロッパ・タイプのネイビー・ブルーのブレザー・コートを着ていた。以前会った時と少し印象が違うような気がしたが、それは少くとも二日間はのばした不精髭のせいだった。不精髭とはいっても、彼の場合にはだらしない雰囲気《ふんいき》はまるでなく、少しだけ翳《かげ》が濃くなったといった感じだった。彼は手に持ったポロのサングラスを胸のポケットに仕舞い、小さく鼻を鳴らした。すごく上品な鼻の鳴らし方だった。

「どうもお休みのところを突然お邪魔しちゃって申しわけありません」と彼は言った。

「いや、べつに構わないよ。毎日が休みみたいなものだし、それに一人で退屈していたところだから」と僕は言った。

「ごはん持ってきたわよ」と彼女が言って後部座席から白い大きな紙袋をとり出した。

「ごはん？」

「たいしたものじゃないんです。ただ日曜日に急にうかがうわけだし、何か食べるものをお持ちした方がいいんじゃないかと思ったものですから」と彼が言った。

「それはありがたいな。なにしろ朝からりんごしか食べてないんだ」

我々は家の中に入って、テーブルの上に食料品を広げた。なかなか立派な品揃《しなぞろ》えだった。質の良い白ワインとロースト・ビーフ・サンドウィッチとサラダとスモーク・サーモンとブルーベリー・アイスクリーム、量もたっぷりある。ローストビーフのサンドウィッチにはちゃんとクレソンも入っていた。辛子も本物だった。料理を皿《さら》に移しかえてワインの栓《せん》を抜くと、ちょっとしたパーティーみたいになった。

「かえって気を使わせて悪かったね」と僕は彼に言った。

「いいえ、いいんです。こちらが勝手に押しかけちゃったわけですから」

「食べちゃいましょうよ。すごくおなか減ったわ」と彼女が言った。

僕がいちおうホストとしてそれぞれのグラスにワインを注《つ》いだ。それから乾杯した。ちょっと癖のあるワインだったけれど、飲んでいるうちにその癖が体になじんだ。

「何かレコードかけていい？」と彼女が言った。

「いいよ」と僕は言った。

彼女は前にも一度うちに遊びに来たことがあるから、説明しなくてもいろんな勝手はわかっている。レコード棚《だな》から好きなＬＰを何枚か出してほこりを払い、オート・

チェンジャーの上にかさねていった。

「ずいぶんなつかしいプレイヤーですね」と彼は言った。ガラードのオート・チェンジャーのことだ。たしかにオート・チェンジャーはすっかり時代遅れになってしまった。僕も程度の良いフル・オート・チェンジのガラードを手に入れるにあたっては結構苦労したのだ。そういうことをわかってもらえるのは嬉しい。それからしばらくオーディオの話になった。

彼女は古いジャズ・ヴォーカルが好きだったので、フレッド・アステアとかビング・クロスビーとかのレコードがかかった。まんなかでチャイコフスキーの「弦楽セレナーデ」がかかって、それからまたナット・コールになった。

我々はサンドウィッチをかじり、サラダを食べ、スモーク・サーモンをつまんだ。ワインがからになってしまうと、あとは冷蔵庫から缶《かん》ビールを出して飲んだ。うちの冷蔵庫には缶ビールだけはいつもぎっしりつまっている。友だちが小さな会社をやっていて、あまった贈答用のビール券を安くわけてくれるからだ。

彼はどれだけ飲んでも顔色ひとつ変えなかった。僕もビールならかなり飲める。彼女もつきあって何本か飲んだ。結局一時間足らずのあいだにビールの空き缶が二十四個机の上に並んだ。ちょっとしたものだ。レコードが終り、彼女がまたLPを五枚選んだ。最初の曲はマイルス・デイヴィスの「エアジン」だった。

「グラスがあるんだけど、よかったら吸いませんか？」と彼が言った。

僕はちょっと迷った。というのは、僕は一ヵ月前に禁煙したばかりでとても微妙な時期だったし、ここでマリファナを吸うことがそれにどう作用するのかよくわからなかったからだった。でも結局吸うことにした。彼は紙袋の底からアルミ・フォイルをとりだし、葉を巻紙の上にのせてくるりと巻き、のりの部分を舌でなめた。ライターで火をつけ、そして何度か吸いこんで火がきちんとついていることをたしかめてから僕にまわした。とても質の良いマリファナだった。我々はしばらくのあいだ何も言わずにそれを一口ずつ吸っては順番にまわした。マイルス・デイヴィスが終って、ヨハン・シュトラウスのワルツ集になった。

一本吸い終った時、彼女が眠いと言った。寝不足のうえにビールを三本飲んで大麻《たいま》煙草《たばこ》を吸ったせいだった。彼女はほんとうにすぐに眠くなるのだ。僕は彼女を二階につれていって、ベッドに寝かせた。彼女はTシャツを貸してほしいと言った。僕がTシャツをわたすと、彼女はするすると服を脱いでパンティーだけになり、上からTシャツをかぶってベッドにもぐりこみ、その五秒後にはもう寝息をたてていた。僕は頭を振って下におりた。

応接間では彼女の恋人が二本めの大麻煙草を巻いていた。タフな男だ。僕もどちらかといえば彼女のわきにもぐりこんで、ぐっすりと眠りこんでしまいたかった。でもなかなかそうもいかない。我々は二本めのマリファナを吸った。まだヨハン・シュトラウスのワルツがつづいていた。僕はどういうわけか小学校の学芸会でやった芝居のことを思いだした。僕はそこで手袋屋のおじさんの役をやった。子狐《こぎつね》が買いにくる手袋屋のおじさんの役だ。でも子狐の持ってきたお金では手袋は買えない。

「それじゃ手袋は買えないねえ」と僕は言う。ちょっとした悪役なのだ。

「でもお母さんがすごく寒がってるんです。あかぎれもできてるんです」と子狐は言う。

「いや、駄目《だめ》だね。お金をためて出なおしておいで。そうすれば」

「時々納屋《なや》を焼くんです」

と彼が言った。

「失礼?」と僕は言った。ちょっとぼんやりしていたもので、聞きまちがえたような気がしたのだ。

「時々納屋を焼くんです」と彼は繰り返した。

僕は彼の方を見た。彼は指の爪先《つまさき》でライターの模様をなぞっていた。それから大麻の煙を思いきり肺の奥に吸いこんで十秒ばかりキープして、そしてゆっくりと吐きだした。まるでエクトプラズムみたいに、煙が彼の口から空中へと漂った。彼は僕にマリファナをまわした。

「なかなかものが良いでしょ」と彼は言った。

僕は肯《うなず》いた。

「インドから持ってきたんです。とくに質の良いものだけを選んだんです。これを吸っていると不思議にいろんなことを思いだすんです。それも光とか匂《にお》いとか、そんなことです。記憶の質が……」彼はそこでゆっくり間を置いて何度か指を鳴らした。「まるで変っちゃうんです。そう思いませんか？」

そう思う、と僕は言った。僕もちょうど学芸会の舞台のざわめきとか背景のボール紙に塗られた絵の具の匂いとかを思いだしているところだった。

「納屋の話を聞きたいね」と僕は言った。

彼は僕の顔を見た。彼の顔にはあいかわらず表情らしいものがなかった。

「話していいんですか？」と彼は言った。

「もちろん」と僕は言った。

「簡単な話なんです。ガソリンをまいて、火のついたマッチを放るんです。ぼっといって、それでおしまいです。焼けおちるのに十五分もかかりゃしませんね」

「それで」と言ってから、僕は口をつぐんだ。次のことばがうまくみつからなかったからだ。「どうして納屋なんて焼くわけ？」

「変ですか？」

「わからないな。君は納屋を焼くし、僕は納屋を焼かない。そのあいだにははっきりとした違いがあるし、僕としてはどちらが変かというよりは、まず違いをはっきりさせておきたいんだ。お互いのためにね。それに、納屋の話は君が先に持ち出したんだよ」

「そうですね」と彼は言った。「たしかにそのとおりだ。ところでラビ・シャンカールのレコードはお持ちですか？」

ない、と僕は言った。

彼はしばらくぼんやりしていた。

「二ヵ月にひとつくらいは納屋を焼きます」と彼は言った。そしてまた指を鳴らした。「それくらいのペースがいちばん良いような気がするんです。もちろん僕にとっては、ということですが」

僕は曖昧《あいまい》に肯いた。ペース？

「ところで君は自分の納屋を焼くわけ？」と僕は訊《たず》ねてみた。

彼は理解しかねるといった目つきで僕の顔を見た。「どうして僕が自分の納屋を焼かなくちゃいけないんですか？ どうして僕がそんなにいくつも納屋を持っているなんて思うんですか？」

「ということは」と僕は言った。「他人の納屋を焼くわけだよね？」

「そうです」と彼は言った。「もちろんそうです。だから要するに、犯罪行為です。あなたと僕が今こうして大麻煙草を吸っているのと同じように、はっきりとした犯罪行為です」

僕は椅子《いす》の手すりにひじをついたまま黙っていた。

「他人の納屋に無断で火をつけるわけです。もちろん大きな火事にならないようなものを選びます。だって僕は火事をおこしたいわけじゃなくて、納屋を焼きたいだけですからね」

僕は肯いて、短くなった大麻煙草をもみ消した。「でも、つかまると問題になるよ。なにしろ放火だから下手すると実刑をくらうかもしれないな」

「つかまりゃしませんよ」と彼はこともなげに言った。「ガソリンをかけて、マッチをすって、すぐに逃げるんです。それで遠くから双眼鏡でのんびり眺《なが》めるんです。つかまりゃしません。だいいちちっぽけな納屋がひとつ焼けたくらいじゃ警察もそんなに動きませんからね」

「それに外車に乗った身なりの良い若い男がまさか納屋を焼いてまわってるなんて誰《だれ》も思わないものね」

彼はにっこりと笑った。「そのとおりです」

「それで彼女はそのことを知ってるの？」

「彼女は何も知りません。そんなの、誰にしゃべったこともないんです」

「どうして僕にしゃべるの？」

彼は左手の指をまっすぐにのばして、それで自分の頰《ほお》をこすった。伸びた髯《ひげ》がかすかな音を立てた。「あなたは小説を書いている人だし、人間の行動のパターンのようなものについてくわしいんじゃないかと思ったんです。それに僕はつまり、小説家というものは物事に判断を下す以前にその物事をあるがままに楽しめる人じゃないかと思っていたんです。だから話したんです」

僕は彼の言ったことについてしばらく考えてみた。理屈としてはあっていた。

「君はたぶん一流の作家のことを話してるんだと思う」と僕は言った。

彼はおかしそうに笑った。「こういう言い方は変かもしれないけれど」

彼は顔の前で両手を広げ、それからぱたんとあわせる。「世の中にはいっぱい納屋があって、それらがみんな僕に焼かれるのを待っているような気がするんです。海辺にぽつんと建った納屋やら、たんぼのまん中に建った納屋やら……とにかく、いろんな納屋です。十五分もあれば綺《き》麗《れい》に燃えつきちゃうんです。まるでそもそもの最初からそんなもの存在もしなかったみたいにね。誰も悲しみゃしません。ただ――消えちゃうんです。ぷつんってね」

「でもそれが不必要なものかどうか、君が判断するんだね」

「僕は判断なんかしません。観察しているだけです。雨と同じですよ。雨が降る。川があふれる。何かが押し流される。雨が何かを判断していますか？　いいですか、僕はモラリティーというものを信じています。モラリティーなしに人間は存在できません。僕はモラリティーというのは同時存在のことじゃないかと思うんです」

「同時存在？」

「つまり僕がここにいて、僕があそこにいる。僕は東京にいて、僕は同時にチュニスにいる。責めるのが僕であり、ゆるすのが僕です。それ以外に何がありますか？」

ぱちん。

「少し極端な意見じゃないかって気がするな」と僕は言った。「そういうのは結局仮説の上に成立しているわけだからね。厳密に言えば同時という概念ひとつとりあげてもあやふやなものだよ」

「わかっています。僕はただ自分の気持を気持として表現しただけです。でももうやめましょう。僕はふだん無口なぶん、グラスをやるとしゃべりすぎるんです」

「ビールは飲む？」

「どうもありがとう。いただきます」

僕は台所から缶《かん》ビールを六本、カマンベール・チーズといっしょに持ってきた。我々はビールを三本ずつ飲んで、チーズを食べた。

「この前に納屋を焼いたのはいつ？」と僕は訊ねてみた。

「そうですねえ」、彼は空になったビール缶を軽く握ったまま少し考えこんだ。「夏、八月の終りですね」

「この次はいつ焼くことになっているの？」

「わかりませんね。べつにスケジュールをくんでカレンダーにしるしをつけて待ってるわけじゃありませんからね。気がむいたら焼きにいくんです」

「でも焼きたいと思った時にちょうど都合よく適当な納屋があるってものでもないでしょう？」

「もちろんそうです」と彼は静かに言った。「ですから、あらかじめ焼くのに適したものを選んでおくわけです」

「ストックしておくわけだね」

「そういうことです」

「もうひとつだけ質問していいかな？」

「どうぞ」

「次に焼く納屋はもう決まっているのかな？」

彼は目と目のあいだにしわを寄せた。それからすうっ、という音を立てて、鼻から息を吸いこんだ。「そうですね。決まっています」

僕は何も言わずにビールの残りをちびちびと飲んだ。

「とても良い納屋です。久し振りに焼きがいのある納屋です。実は今日も、その下調べに来たんです」

「ということは、それはこの近くにあるんだね」

「すぐ近くです」と彼は言った。

それで納屋の話は終った。

五時になると彼は恋人を起こし、僕の家を突然訪問したわびを言った。彼はビールを二十本近く飲んだにもかかわらず、完全に素面《しらふ》だった。彼は裏庭からスポーツ・カーを出した。

「納屋《なや》のことは気をつけとくよ」と別れぎわに僕《ぼく》は言った。

「そうですね」と彼は言った。「とにかく、すぐ近くです」

「納屋ってなあに？」と彼女が言った。

「男どうしの話さ」と彼が言った。

「やれやれ」と彼女が言った。

そして二人は消えた。

僕は応接室に戻《もど》り、ソファーに寝転んだ。テーブルの上にはありとあらゆるものが散乱していた。僕は床に落ちていたダッフル・コートをとって頭からかぶり、ぐっすりと眠った。

目がさめると部屋はまっ暗だった。

七時。

青っぽい闇《やみ》と大麻煙草のつんとする匂いが、部屋を覆《おお》っていた。妙に不均一な暗さだった。僕はソファーに寝転んだまま、学芸会の芝居のつづきを思いだそうとしてみたが、もううまく思い出せなかった。子狐は手袋を手に入れることができたんだっけ?

僕はソファーから起きあがり、窓を開けて部屋の空気を入れかえ、それから台所でコーヒーを沸かして飲んだ。

＊

僕は次の日、本屋に行って、僕の住んでいる町の地図を買ってきた。細かい通りまででている二万分の一の白地図だ。僕はその地図を持ってうちのまわりを歩きまわり、納屋のある地点に鉛筆で×印をつけた。三日かけて四キロ四方をくまなく歩いた。僕の家は郊外にあり、まわりには農家がまだ数多く残っている。したがって納屋の数も結構多い。全部で十六の納屋があった。

彼の焼こうとしている納屋はたぶんそのうちのどれかのはずだった。「すぐ近く」と言った時の彼の口ぶりからして、それ以上うちから離れてはいないだろうと僕は確信していた。

それから僕は十六の納屋の状態のひとつひとつを丁寧にチェックした。まず人家に近すぎたり、ビニール・ハウスのわきにあったりする納屋は除外した。それから農具やら農薬なんかが入っていて、かなり活発に利用されているものも除外した。彼は決して農具や農薬なんかは焼きたがらないだろうという気がしたからだ。

結局五つの納屋が残った。五つの焼くべき納屋だ。あるいは五つの燃えて差支えない納屋だ。十五分くらいで燃え落ちて、そして燃え落ちたことについて、たぶん誰も残念に思わないだろうという類《たぐ》いの納屋だ。彼がそのうちのどれを焼こうとしているのかは僕には決めかねた。あとはもう好みの問題だからだ。僕としては彼がその五つの納屋のうちのどれを選んだのかがひどく知りたかった。

僕は地図を広げ、五つの納屋を残してあとの×印を消した。それから直角定規と曲線定規とディバイダーを用意し、うちを出てその五つの納屋を巡り、また家に戻ってくる最短コースを設定した。道が川や丘陵に沿ってくねくねと曲っていたせいで、その作業はかなり手間どった。結局コースの距離は七・二キロ、何度も測ってみたから誤差はほとんどないはずだ。

翌朝の六時、僕はトレーニング・ウェアにジョギング・シューズをはいて、そのコースを走ってみた。僕は毎日朝と夕方に六キロずつのコースを走っているから、一キロずつ距離を増やすのはそれほどの苦痛ではない。風景も悪くないし、途中に踏切がふたつあるものの、それにひっかかることはまれだった。

まず家を出て近くの大学のグラウンドをぐるりとまわり、それから川に沿って人気のない未舗装道路を三キロ走る。途中に最初の納屋がある。それから林を抜ける。軽い上り坂だ。また納屋がある。少し先に競馬用の馬小屋があるから馬たちが火を見て少しは騒ぐかもしれない。でもそれだけだ。実害はない。

三つめの納屋と四つめの納屋は年老いた醜い双子みたいによく似ている。距離も二百メートルと離れてはいない。どちらも古くて、汚ない。もし焼くとしたら、両方一緒に焼いちゃってもいい。

最後の納屋は踏切のわきに建っていた。約六キロの地点だ。まったく完全に打ち捨てられた納屋だ。線路に面してペプシ・コーラのブリキの看板が打ちつけられている。建物は――そんなものを建物と呼ぶべきかどうか僕には自信がないけれど――ほとんど崩れかけていた。それはたしかに、彼が言うように、誰かに焼かれるのをじっと待っているように見えた。

僕は最後の納屋の前で少し立ちどまって何度か深呼吸してから踏切を越え、家に戻った。三十一分三十秒。まずまずだ。そして僕はシャワーを浴びて朝食を食べた。それから仕事にかかる前にくすの木を眺めながらレコードを一枚聴いた。

一ヵ月間、そんな風に僕は毎朝同じコースを走りつづけた。しかし、納屋は焼けなかった。

時々僕は彼が僕に納屋を焼かせようとしているんじゃないかと思うことがあった。つまり納屋を焼くというイメージを僕の頭の中に送りこんでおいてから、自転車のタイヤに空気を入れるみたいにそれをどんどんふくらませていくわけだ。たしかに僕は時々、彼が焼くのをじっと待っているくらいなら、いっそのこと自分でマッチをすって焼いてしまった方が話が早いんじゃないかと思うこともあった。だってそれはただの古ぼけた納屋なのだから。

しかしそれはやはり考えすぎだ。実際問題として、僕は納屋を焼いたりはしない。納屋を焼くのは彼なのだ。たぶん彼は焼くべき納屋を変更したのだろう。あるいは忙しすぎて納屋を焼く時間をみつけることができないのかもしれない。彼女からの連絡もまるでなかった。

十二月がやってきて、秋が終り、朝の空気が肌《はだ》を刺すようになった。納屋はそのままだった。白い霜が納屋の屋根におりた。冬の鳥たちが凍《い》てついた林の中でばたばたという大きな羽音をひびかせた。世界は変ることなく動きつづけていた。

*

その次に僕が彼に会ったのは、昨年の十二月のなかばだった。クリスマスの少し前だった。どこに行ってもクリスマス・ソングがかかっていた。僕はいろんな人にいろんなクリスマス・プレゼントを買うために街を歩いていた。妻のためにグレーのアルパカのセーターを買い、いとこのためにウィリー・ネルソンがクリスマス・ソングを唄《うた》っているカセット・テープを買い、妹の子供のために絵本を買い、ガール・フレンドのために鹿《しか》の形をした鉛筆けずりを買い、僕自身のために緑色のスポーツ・シャツを買った。右手にそんな紙包みをかかえ、左手をダッフル・コートのポケットにつっこんで、乃木坂《のぎざか》のあたりを歩いている時に、僕は彼の車をみつけた。まちがいなく彼の銀色のスポーツ・カーだった。品川ナンバーで、左のヘッド・ライトのわきに小さな傷がついている。車は喫茶店の駐車場に停《と》まっていた。僕はためらわずに店の中に入った。

店の中は暗く、強いコーヒーの匂《にお》いがした。人の話し声もあまりきこえず、バロック音楽が静かに流れていた。僕は席を探すふりをして、彼の姿を探した。彼はすぐにみつかった。窓際《まどぎわ》に一人で座って、カフェ・オ・レを飲んでいた。店の中は眼鏡がまっ白になるくらい暑かったにもかかわらず、彼は黒いカシミアのコートを着たままだった。マフラーもとっていなかった。

僕は少し迷ったが、やはり声をかけることにした。ただ表で彼の車を見かけたことは言わなかった。僕はあくまで偶然この店に入って、偶然彼の姿をみつけたのだ。

「座ってもかまいませんか？」と僕は訊《たず》ねた。

「もちろんです。どうぞ」と彼は言った。

それから我々は軽い世間話をした。話はあまりはずまなかった。もともとあまり共通の話題がない上に、彼は何かべつのことを考えているように見えたからだ。しかし、かといって僕と同席することが迷惑という風でもなかった。彼はチュニジアの港の話をした。それからそこでとれる海老《えび》のことも話した。べつに義理で話しているというのではなく、真剣に海老の話をした。しかし話は途中で終ったまま、先がつづかなかった。

彼は手をあげて、二杯めのカフェ・オ・レを注文した。

「ところで、納屋のことはどうなったの？」と僕は思い切って訊ねてみた。

彼は唇《くちびる》のはしで微《かす》かにほほえんだ。「納屋ですか？　もちろん焼きましたよ。きれいに焼きました。約束したとおりね」

「家《うち》のすぐ近くで？」

「そうです。ほんとうのすぐ近くで」

「いつ？」

「この前、おたくにうかがってから十日ばかりあとです」

僕は地図に納屋の位置を描《か》きこんで一日に二回その前をランニングしてまわった話をした。

「だから見落とすはずはないんだけれどね」と僕は言った。

「ずいぶん綿密なんですね」と彼は楽しそうに言った。「綿密で理論的です。でもきっと見落としたんですよ。そういうことってあるんです。あまりにも近すぎて、それで見落としちゃうんです」

「よくわからないな」

彼はネクタイをしめなおし、それから腕時計を見た。「近すぎるんですよ」と彼は言った。「でも、もう行かなくちゃいけないんです。それについては、この次ゆっくり話すことにしませんか？ 申しわけないけれど、人を待たせているものですから」

それ以上彼をひきとめる理由はなかった。彼は立ちあがって、煙草《たばこ》とライターをポケットに入れた。

「ところであれから彼女にお会いになりました？」と彼が訊ねた。

「いや、会ってないな。あなたは？」

「僕も会ってないんです。連絡がとれないんです。アパートの部屋にもいないし、電話も通じないし、パントマイムのクラスにもずっと出てないんです」

「どこかにふらっとでかけちゃったんじゃないかな。これまでにも何度かそういうことはあったからね」

彼はポケットに両手をつっこんで立ったまま、テーブルの上をじっと眺《なが》めた。「一文なしで、一ヵ月半もですか？　それも十二月ですよ」

わからない、と僕は言った。

彼はコートのポケットの中で何度か指を鳴らした。

「僕はよく知っているんだけれど、彼女はまったくの一文なしです。友だちもいません。住所録はぎっしりいっぱいだけど、あの子には友だちなんていないんです。いや、でもあなたのことは信頼してましたよ。お世辞じゃなくてね」

彼はもう一度時計を見た。「もう行きます。どこかでまた会いましょう」

「さよなら」と僕も言った。

＊

僕はそれから何度も彼女に電話をかけてみたのだけれど、電話は電話局で止められたままだった。僕は心配になって、彼女のアパートまで行ってみた。彼女の部屋は閉まったままだった。管理人はどこにもいなかったので、彼女がまだそこに住んでいるかどうかさえわからなかった。僕は手帳のページを破って「連絡してほしい」というメモを作り、名前を書いて、郵便受けの中に放り込んでおいた。連絡はなかった。その次に僕がそのアパートを訪れた時には、ドアには別の住人の札がかかっていた。ノックしてみたが、誰《だれ》も出てこなかった。相変らず管理人はみつからなかった。

それで僕はあきらめた。一年近く前の話だ。

彼女は消えてしまったのだ。

＊

僕はまだ毎朝、五つの納屋の前を走っている。うちのまわりの納屋はいまだにひとつも焼け落ちてはいない。どこかで納屋が焼けたという話もきかない。また十二月が来て、冬の鳥が頭上をよぎっていく。そして僕は歳《とし》をとりつづけていく。

夜の暗闇《くらやみ》の中で、僕は時折、焼け落ちていく納屋のことを考える。

踊る小人

夢の中で小人が出てきて、僕《ぼく》に踊りませんかと言った。

それが夢だということはちゃんとわかっていたのだけれど、それでも夢の中でも僕は疲れていたので〈申しわけないけれど疲れていて踊れそうにない〉と丁寧に断った。小人はべつにそのことで気を悪くしたりはしなかった。小人は一人で踊った。

小人は地面にポータブル・プレイヤーを置いて、レコードをかけながら踊った。レコードはプレイヤーのまわりにいっぱいちらばっていた。小人はいったんかけたレコードをジャケットにしまわずにそのままに放り出しておいたので、最後にはどのレコードがどのジャケットに入っていたかわからなくなり、結局でたらめにつっこんでしまうことになった。おかげでグレン・ミラー・オーケストラのジャケットにローリング・ストーンズのレコードが入っていたり、ラヴェルの「ダフニスとクロエ組曲」のジャケットにミッチ・ミラー合唱団のレコードが入っていたりした。

しかし小人はそんなことはちっとも意に介さないといった風だった。小人は今、「ギター音楽名曲集」というジャケットに入っていたチャーリー・パーカーのレコードにあわせて踊っていた。小人はまるで風のように踊った。僕は葡萄《ぶどう》を食べながら、小人の踊りを眺《なが》めていた。

小人は踊りながらずいぶん汗をかいていた。小人が頭を振ると顔の汗がとびちり、手を振ると指の先から汗がこぼれた。それでも小人は休むことなく踊りつづけた。レコードが終ると、僕は葡萄の鉢《はち》を地面に置き、新しいレコードをかけた。そしてまた小人は踊った。

「君はほんとに踊りがうまいね」と僕は声をかけた。「まるで音楽そのものだよ」

「ありがとう」と小人は気取って言った。

「そんな具合にいつも踊っているのかい？」と僕はたずねてみた。

「まあそうだね」と小人は言った。

それから小人は爪先立《つまさきだ》ちをしてくるりと一周じょうずに回った。ふさふさとしたやわらかい髪が風に揺れた。とても見事な出来だったので、僕は拍手をした。小人が丁寧におじぎをして、そこで曲が終った。小人は踊りをやめて、タオルで汗を拭《ふ》いた。レコードの針がぱちんぱちんと同じところをまわっていたので、僕は針をあげてプレイヤーをとめた。

「話せば長いんだけれど」と小人は言ってちらりと僕の顔を見た。「あんたはたぶんあまり時間がないんだろうねえ」

僕は葡萄をつまみながら、なんと答えたものか迷った。時間はいくらでもあったが、小人の長い身の上話を聞かされるというのもちょっとうんざりだし、それにだいたいこれは夢なのだ。夢なんてそれほど長い時間見るものではない。いつ消えてしまうかもしれないのだ。

「北の国から来たんだ」と小人は僕の返事を待たずに勝手にしゃべりはじめ、指をぱちんと鳴らした。「北の人間は誰《だれ》も踊らない。誰も踊り方を知らない。誰も踊りなんてものがあることじたいを知らない。でもあたしは踊りたかった。足を踏み、手をまわし、首を振り、ぐるりとまわりたかった。こんな風にね」

小人は足を踏み、手をまわし、首を振り、ぐるりとまわった。よく見ていると、足を踏むのと手をまわすのと首を振るのとぐるりとまわるのが、まるで光の球がはじける時みたいに、一斉《いっせい》に体から吹き出していた。ひとつひとつの動作はそれほどむずかしいものではないのだけれど、四つが一緒になると、信じられないくらい優美な動きになった。

「こんな風に踊りたかった。それであたしは南に来た。南に来て踊り手になり、酒場で踊った。あたしの踊りは評判になり、皇帝の前でも踊った。そうあれはもちろん革命の前の話だけどね。革命が起って、あんたも知ってのように皇帝がお亡《な》くなりになり、あたしも町を追われた。そして森の中で暮すようになった」

小人はまた広場のまん中に行って踊りはじめた。僕はレコードをかけた。フランク・シナトラの古いレコードだった。小人はシナトラの声にあわせて「ナイト・アンド・デイ」を唄《うた》いながら踊った。僕は皇帝の玉座の前で踊る小人の姿を想像してみた。きらびやかなシャンデリアと美しい女官たち、珍しい果物と近衛《このえ》兵《へい》の槍《やり》、太った宦官《かんがん》、宝玉をちりばめたガウンに身をくるんだ若き皇帝、汗をかきながらわきめもふらずに踊る小人……。そんな光景を想像していると、どこか遠くの方から今にも革命の砲声が聞こえてきそうな気がした。

小人は踊りつづけ、僕は葡萄を食べた。日が西に傾き、森の影が大地を覆《おお》った。鳥ほどの大きさの巨大な黒い蝶《ちょう》が広場を横切って、森の奥に消えていった。空気がひやりとした。そろそろ消えどきだなという気がした。

「そろそろ行かなくちゃいけないみたいだ」と僕は小人に言った。

小人は踊るのをやめ、黙って肯《うなず》いた。

「どうも踊りを見せてくれてありがとう。とても楽しかった」と僕は言った。

「いいさ」と小人は言った。

「もう会えないかもしれないけど、元気でね」と僕は言った。

「いいや」と小人は言って首を振った。

「どうして？」と僕はたずねた。

「あんたはまたここに来ることになるからさ。ここにきて、森に住み、そして来る日も来る日もあたしと一緒に踊りつづけるのだよ。そのうちにあんただってとても上手《うま》く踊れるようになる」

ぱちん、と小人は指をならした。

「何故《なぜ》僕がここに住んで君と一緒に踊ることになるんだい？」と僕はちょっとびっくりしてたずねてみた。

「決められているんだよ」と小人は言った。「もう誰にもそれを変えることはできないんだ。だからあたしとあんたはまたいずれ顔をあわせることになる」

小人はそう言ってじっと僕の顔を見上げた。既に闇《やみ》が夜の水のように小人の体を青く染めていた。

「それでは」

と小人は言った。

そして僕に背中を向けてまた一人で踊りはじめた。

目がさめると、僕は一人だった。一人でベッドにうつぶせになって、ぐっしょりと汗をかいていた。窓の外に鳥の姿が見えた。鳥はいつもの鳥のようには見えなかった。

僕は念入りに顔を洗い、髭《ひげ》を剃《そ》り、パンを焼き、コーヒーをわかした。猫《ねこ》に餌《えさ》をやり、便所の砂をとりかえ、ネクタイをしめ、靴《くつ》をはいた。そしてバスに乗って工場に行った。工場では象を作っていた。

もちろん一度に象を作るわけにもいかないので、工場はいくつかの部分に分れていて、セクションごとに色わけされていた。僕の場合はその月は耳のセクションにまわされていたから、天井と柱が黄色い建物の中で働いていた。ヘルメットとズボンも黄色だった。僕はそこでずっと象の耳を作っていた。その前の月は緑色の建物の中で、緑色のヘルメットをかぶり、緑色のズボンをはいて象の頭を作っていた。

象の頭を作るというのはすごくやりがいのある作業だ。たしかに自分が〈何かをしている〉という気持になれる。それに比べれば象の耳づくりなんて本当に楽なものだ。ぺらっとしたうすいものを作ってそこにしわをつければ一丁あがりである。だから僕たちは耳づくりセクションに行くことを〈耳休暇をとる〉と言っている。一ヵ月耳休暇をとったあとで、僕は鼻づくりセクションにやられる。鼻をつくるのは細かい神経が必要とされる仕事である。鼻がうまくくねくねと動いて、しかもきちんと穴がとおってないと出来上がった象が怒ってあばれ出すことがあるからだ。鼻を作っているととても神経を使う。

念のために説明しておくと、我々はなにも無から象を作りあげているわけではない。正確に言うなら、我々は象を水増ししているということになる。つまり一頭の象をつかまえてきてのこぎりで耳と鼻と頭と胴と足と尻尾《しっぽ》に分断し、それをうまく組みあわせて五頭の象を作るわけなのだ。だから出来上がったそれぞれの象の1／5だけが本物で、あとの4／5はニセ物であるということになる。でもそんなことはちょっと見ただけではわからないし、象自身にだってわかりはしない。我々はそれくらいうまく象を作るのだ。

どうしてそんな風に人工的に象を作らなければ——あるいは水増ししなければ——ならないかというと、我々は象に比べてとてもせっかちだからだ。自然にまかせておくと、象というのは四、五年に一頭しか子供を出産しない。我々はもちろん象のことを大好きだから、象のそういう習慣あるいは習性を見ているととても苛立《いらだ》つわけだ。それで自分たちの手で象を水増しすることにしたのだ。

水増しされた象は悪用されないようにいったん象供給公社に買い上げられ、半月間そこに留められて厳重な機能チェックを受ける。それから足の裏に公社のマークを押されてジャングルに放たれる。我々は通常週に十五頭の象を作る。クリスマス前のシーズンには機械をフルに動かして最高二十五頭まで作ることができるが、十五頭というのはまあまあ妥当な数だろうと僕も思う。

前にも述べたように、耳づくりセクションは象工場における一連の工程の中でいちばん楽なところである。力もいらないし、細かい神経もいらないし、複雑な機械も使わない。作業の量そのものも少い。一日とおしてのんびりと働いてもいいし、あるいは午前中熱心に働いてノルマを仕上げ、あとを何もせずに過してもかまわない。

僕と相棒はどちらもだらだら働くのが性にあわなかったので、朝のうちにまとめて仕事を済ませ、午後は世間話をしたり本を読んだり、それぞれ好きなことをして過すことにしていた。その午後も、我々はしわ入れまで済んだ耳を十枚ずらりと壁に並べてしまうと、あとは床に座ってひなたぼっこをしていた。

僕は夢に出てきた踊る小人のことを相棒に話した。僕はその夢の中の情景を隅々《すみずみ》までしっかりと覚えていたので、どうでもいいような細かいところまで克明に説明した。ことばで足りないところは実際に首を振ってみたり、手をまわしたり、足を踏んだりして示した。相棒はお茶を飲みながら「うんうん」というかんじで僕の話を聞いていた。相棒は僕より五つ年上で、体つきはがっしりとして髭が濃く、無口である。それから腕組みをして考え込む癖がある。顔つきのせいもあって、一見とても真剣に思いをめぐらせているようにも見えるのだが、実際にはそれほどのことでもなくて、大抵の場合はしばらくしてからむっくりと体を起こして「むずかしいなあ」とぽつんとひとこと言うだけのことである。

このときも、相棒は僕の夢の話を聞き終ったあと、一人でずっと考えこんでいた。相棒はずいぶん長く考えこんでいたので、僕はそのあいだ暇つぶしに電気ふいごのパネルを雑巾《ぞうきん》で磨《みが》いていた。少しあとで彼はいつもと同じようにむっくりと体を起こし、「むずかしいね」と言った。「小人、踊る小人……むずかしいな」

僕の方もいつもと同じようにきちんとした形の解答を求めていたわけではないので、それでべつにがっかりはしなかった。僕は電気ふいごをもとに戻《もど》し、それからぬるくなってしまった茶を飲んだ。

しかし相棒は彼にしては珍しく、そのあとも長いあいだ一人で考えこんでいた。

「どうかしたの？」と僕は訊《たず》ねてみた。

「どこかで前にも一度小人の話を聞いたような気がするんだ」と彼は言った。

「へえ」と僕《ぼく》はちょっと驚いて言った。

「覚えはあるんだけど、どこで聞いたかが思いだせないんだよ」

「思いだして下さいよ」

「うん」と相棒は言ってまたひとしきり考えこんだ。

彼がやっと小人のことを思い出したのは三時間ばかりあとのことで、もう夕刻の退社時間に近かった。

「そうか！」と彼は言った。「そうか、やっと思い出したよ」

「よかった」と僕は言った。

「第六工程に植毛工のじいさんがいるだろう。ほら髪の毛がまっ白で肩までたれて、歯のあんまり残ってないじいさんさ。ほら、革命前からこの工場につとめてるってい う……」

「ええ」と僕は言った。その老人なら酒場で何度か見かけたことがある。

「あのじいさんがずいぶん前に俺《おれ》にその小人の話をしてくれたことがあるんだ。踊りのうまい小人の話だよ。その時はどうせ年寄りの与太話だろうと思ってあまりとりあわなかったんだけれど、あんたの話を聞いてみると、まるっきりのほらというわけでもなかったようだな」

「どんな話だったんですか」と僕は訊ねてみた。

「そうさなあ、何しろ昔のことだから……」と言って相棒は腕を組み、また考え込んだ。でもそれ以上のことは何も思い出せなかった。やがて彼はむっくりと体を起こして、「いや、思い出せん」と言った。「やはりあんたが実際にじいさんに会って、自分の耳で話を聞いてみる方がよかろうよ」

僕はそうすることにした。

終業のベルが鳴るとすぐに、僕は第六工程所に行ってみたが、すでに老人の姿はなかった。女の子が二人で床のはき掃除をしているだけだった。やせた方の女の子が「おじいさんならたぶん古い方の酒場でしょう」と教えてくれた。酒場に行ってみると、案の定老人はそこにいた。彼はカウンターの椅子《スツール》に腰を下ろし、弁当箱の包みをわきに置き、背筋をしゃんとのばして酒を飲んでいた。

それはとても古い酒場だった。とてもとても古い。僕が生まれる前から、革命の前から、酒場はここにあった。何代にもわたる象職人たちがここで酒を飲み、トランプをし、歌をうたった。壁には象工場の昔の写真がずらりと並んでかけてあった。初代の社長が象牙《ぞうげ》の点検をしている写真とか、工場を訪れたむかしむかしの映画女優の写真とか、夏の夜会の写真とか、そういったものだ。ただし皇帝やその他の皇族のうつった写真や、あるいは「帝政的」とみなされた写真はぜんぶ革命軍の手で焼かれてしまった。そしてもちろん革命の写真がある。象工場を占拠した革命軍の写真、工場長を吊《つる》した革命軍の写真……。

老人は〈象牙をみがく三人の少年工〉という題のついた変色した古い写真の下に座ってメカトール酒を飲んでいた。僕があいさつして隣りに座ると、老人は写真を指でさして、

「これがわしだ」

と言った。

僕は目をこらしてその写真をにらんだ。三人並んで象牙をみがいているいちばん右の十二、三歳の少年がどうやら老人の若い頃《ころ》の姿であるらしかった。言われなければ絶対に気づかないところだが、言われてみればとがった鼻とぺったりとした唇《くちびる》に特徴があった。どうやら老人はいつもこの写真の下の席に座り、見なれない客が店に入ってくるたびに「これがわしだ」と教えているようであった。

「ずいぶん古そうな写真ですね」と僕は水を向けた。

「革命前」と老人はなんでもなさそうに言った。「革命前はわしだってこんな小さな

子供だった。みんな年をとる。お前さんだってじきにわしみたいになる。まあ楽しみに待っとれ」

老人はそう言うと、半分近く歯のかけた口を大きくあけて、つばをとばしながらひやひやひやと笑った。

老人はそれからひとしきり革命のころの話をした。老人は皇帝のことも革命軍のことも、どちらも嫌《きら》いだった。僕は話したいだけ話させておいてからころあいをみてメカトール酒をおごり、ひょっとして踊る小人について何か知ってはいないだろうかと切り出してみた。

「踊る小人か」と老人は言った。「踊る小人の話を聞きたいか?」

「聞きたいですね」と僕は言った。

老人はじろりと僕の目をのぞきこんだ。「またどうして?」

「人づてに聞いて、興味を感じたんです。面白《おもしろ》そうだから」と僕は嘘《うそ》をついた。

老人はなおも僕の目をじっとにらんでいたが、やがて酔払い特有のどろんとした目に戻った。「よかろう」と彼は言った。「酒を買ってくれたことでもあるし、話してやろう。しかし」と言って老人は僕の顔の前で指を一本立てた。「人には言うな。革命からずいぶん長い歳月が流れたが、踊る小人の話だけはいまだに人前で口に出しちゃいかんことになっとる。だから他人には言うな。わしの名前も出すな。それはわかったか?」

「わかりました」

「酒を注文してくれ。それから仕切り席に移ろう」

僕はメカトール酒をふたつ注文し、バーテンダーに話をきかれないようにテーブル席に移った。テーブルの上には象の形をした緑色のライト・スタンドがのっていた。

「革命前のことだが、北の国から小人がやってきた」と老人は話した。「小人は踊りが上手《うま》かった。いやあ、上手いなんてもんじゃない。あれはもう踊りそのものだ。誰《だれ》にもあんなまねはできん。風や光や匂《にお》いや影や、あらゆるものが集まって、それが小人の中ではじけるんだ。小人にはそういうことができた。あれは……まったくたいしたものだった」

老人は何本か残った前歯でグラスをかちかちといわせた。

「あなたは実際にその踊りを見たんですか?」と僕はたずねてみた。

「見たか?」老人は僕の顔をじっと見て、それからテーブルの上で両手の指をいっぱいに広げた。「もちろん見たとも。毎日わしは見とったよ。毎日ここでな」

「ここで?」

「そうさ」と老人は言った。「ここでだ。ここで毎日小人が踊ってたんだ。革命前にな」

老人の話によれば無一文でこの国に流れてきた小人は象工場の職工たちの集まるこの酒場にもぐりこんで下働きのようなことをやっていたのだが、やがて踊りの腕を認められ、踊り手として遇されるようになった。職工たちは若い女の踊りを望んでいたので、はじめのうちは小人の踊りに対してぶうぶうと文句を言っていたのだが、やがて誰も何も言わなくなり、酒のグラスを手に小人の踊りをじっと見入るようになった。小人の踊りは他《ほか》の誰の踊りとも違っていた。ひとことで言えば小人の踊りは観客の心の中にある普段使われていなくて、そんなものがあることを本人さえ気づかなかったような感情を白日のもとに——まるで魚のはらわたを抜くみたいに——ひっぱり出すことができたのだ。

小人はこの酒場で約半年踊っていた。酒場はいつもあふれんばかりの客でうまった。みんな小人の踊りを見に来た客だった。客たちは小人の踊りを見ては限りのない至福に浸り、限りのない悲嘆に暮れた。小人はその頃から踊り方ひとつで人々の感情を自由にあやつるやり方を身につけることになった。

やがてこの踊る小人の話は近隣に領地を持ち象工場とも浅からぬ縁を持つ貴族団長――彼はのちに革命軍に捕えられ、生きたままにかわ桶《おけ》に放り込まれることになる――の耳に達し、貴族団長を通して若き皇帝の耳にも入った。音楽好きの皇帝は、その小人の踊りを是非見てみたいと言った。皇室の紋章入りの垂直誘導船が酒場にさしむけられ、近衛兵《このえへい》がうやうやしく小人を宮廷に運んだ。酒場の主人には充分すぎるくらい充分な額の金が下賜《かし》された。酒場の客たちはぶつぶつと文句を言ったが、皇帝に向って文句を言ったところでどうなるというものでもない。彼らはあきらめてビールやメカトール酒を飲み、また以前のように若い女の踊りを見た。

一方小人は宮廷の一室をあてがわれ、そこで女官たちに体を洗われたり、絹の服を着せられたり、皇帝の前での作法を教えこまれたりした。次の夜、小人は宮廷の広間につれていかれた。広間には皇帝直属のオーケストラが待機していて、皇帝の作曲したポルカを演奏した。小人はポルカにあわせて踊った。はじめは音楽に体をなじませるようにゆったりと、それから少しずつスピードをはやめ、やがてはつむじ風のように小人は踊った。人々は息を呑《の》んで小人をみつめた。誰も一言も口をきくことができなかった。何人かの貴婦人は気を失って倒れた。皇帝は金粉酒の入ったクリスタル・グラスを思わず床に落としてしまったが、その砕けちる音にも誰一人として気づかないほどだった。

老人はそこまで話すと、手に持っていた酒のグラスをテーブルの上に置き、手の甲で口をぬぐった。それから象の形をしたライト・スタンドを指でいじった。僕はしばらく老人がまた話し出すのを待っていたが、老人はずっと黙ったままだった。僕はバーテンダーを呼び、ビールとメカトール酒のおかわりを注文した。店は少しずつ混《こ》みはじめ、ステージでは若い女の歌手がギターの調弦をしているところだった。

「それでどうなったんですか？」と僕は訊《き》いた。

「ああ」と老人は思い出したように言った。「革命が起り、皇帝は殺され、小人は逃げた」

僕はテーブルに肘《ひじ》をついて、両手でジョッキをかかえるようにしてビールを飲み、老人の顔を見た。「小人が宮廷に入ってからすぐに革命が起ったんですか？」

「そうさなあ、一年ってとこだ」と老人は言って、大きなゲップをした。

「よくわからないな」と僕は言った。「さっきあなたは小人の話は人前でおおっぴらにできないって言った。どうしてなんですか？　小人と革命のあいだに何か関係があるっていうことなんですか？」

「さあてな、それはわしにもよくはわからん。ただひとつはっきりしておることは、革命軍がずっと血まなこになって小人の行方を捜しておったということだ。あれからずいぶん長い歳月が過ぎて、革命なんぞ昔がたりになっちまったが、それでもやつらはまだその踊る小人を捜しておる。しかし小人と革命とのあいだにどんな関係があるのかはわからん。噂話《うわさばなし》しかない」

「どんな噂ですか？」

老人は決めかねたような表情を顔にうかべた。「噂というのは所詮《しょせん》噂だ。ほんとうのところはわからん。しかし噂によると小人は宮廷でよくない力を使ったということだ。そしてそのせいで革命が起ったんだという説を唱えるものもおった。わしが小人について知っておることはそれだけだ。それ以上は何もしらん」

老人はひゅうという音を立ててため息をつき、ひといきでグラスの酒をあけた。桃色の液体が唇のわきからこぼれ、だらりとしたシャツの中につたって落ちた。

小人の夢はそれきり見なかった。僕は毎日象工場に通い、耳を作りつづけた。蒸気を使って耳をやわらかくしておいてからプレスハンマーでべったりとのばし、裁断し、まぜものを入れて五倍に増量し、乾かしてからしわ入れをした。昼休みになると僕と相棒は弁当を食べ、第八工程に新しく入った若い女の子の話をした。象工場にはかなりの数の女の子たちが働いている。彼女たちは主《おも》に神経系の接続とか、縫製とか、掃除とか、そういう仕事をしている。僕たちは暇があると、女の子たちの話をする。女の子たちも暇があると僕たちの話をする。

「とびっきり綺麗《きれい》な子なんだ」と相棒は言った。「みんなその子に目をつけてる。でもまだ誰もモノにできない」

「そんなに綺麗なの？」と僕は疑わしげに言った。噂を耳にしてわざわざでかけてみると実際にはたいしたこともなかったという例がこれまでに何度もあったからだ。この手の噂くらいあてにならないものはない。

「嘘じゃないさ。なんなら今行って見てくりゃいいよ。どうせ暇なんだもの」と相棒は言った。

昼休みはもう終っていたが、我々のセクションは例によって暇だったので、僕は適当な用事をでっちあげて第八工程所に行ってみることにした。第八工程所に行くためには長い地下トンネルをくぐらねばならなかった。トンネルの入口には守衛がいたが、僕とは顔なじみだったので何も言わずに通してくれた。

トンネルを出ると川が流れていて、それを少し下ったところに第八工程所の建物があった。屋根も煙突もピンク色だった。第八工程所では象の足を作っている。僕は四ヵ月前ここで働いていたから勝手はよくわかっている。しかし入口に立っている門番は見かけたことのない新顔だった。

「なんの用？」とその新顔の門番は言った。

「神経ケーブルが足りなくなったんで借りに来たんだよ」と僕は言って咳払《せきばら》いした。

「変だな」と彼は僕の制服をじろじろ見ながら言った。「耳部と脚部の神経ケーブルには互換性がないはずだけどね」

「話せば長いんだよ」と僕は言った。「そもそもは鼻部に行ってケーブルを借りようと思ったんだけど、鼻部には余分はなかったんだ。でも向うは脚部用のケーブルが足りなくて困っていて、それを一本調達してくれたら、細いケーブルをまわしてもいいって言うんだ。ここに連絡したら余ってるからとりに来いっていうもんだから、それで来たんだ」

「でもそういう話は聞いてないな」

「それはいけないな。連絡がきちんとするように中の連中によく言っておこう」

門番はしばらくのあいだぐずぐずと言っていたが、でも結局は中にとおしてくれた。第八工程所——つまり脚部作業場——はがらんとして平べったい建物である。半地下になっていて細長く、床はさらさらとした砂地である。目の高さあたりがちょうど地面になっており、狭いガラス窓が採光のためについている。天井には可動レールがはりめぐらされ、そこから何十本という数の象の足がぶらさげられている。それはまるで象の大群が空から舞い下りてくるように見えた。

作業場では全部で三十人くらいの男女が働いていた。建物の中はうす暗かったし、みんな帽子をかぶったりマスクをつけたりちりよけ眼鏡をかけたりしていたので、新入りの女の子がどこにいるのかさっぱりわからなかった。中に一人僕のかつての同僚がいたので、僕はその男に新しい女の子ってどれだいと訊《たず》ねてみた。

「十五番台で爪《つめ》つけしてる子」と彼は教えてくれた。「でもくどくつもりならあきらめたがいいぜ。亀甲石《きっこうせき》みたいに固いからな」

「ありがとう」と僕は言った。

十五番台で爪つけをしている女の子はとてもほっそりとしていて、中世の絵に出てくる少年みたいに見えた。

「失礼」と僕が声をかけると、彼女は僕の顔を見て、制服を見て、足もとを見て、また顔を見た。それから帽子をとり、ちりよけ眼鏡をとった。彼女はたしかにすごい美人だった。髪の毛はちりちりとして長く、瞳《ひとみ》は海のように深かった。

「なんでしょう？」と女の子は言った。

「もし暇だったら明日の土曜日の夜踊りに行かない？」と僕《ぼく》は誘ってみた。

「明日の夜は暇で踊りに行くつもりだけど、あなたとは行かないわ」と彼女は言った。

「誰かと約束があるんだね？」と僕はきいた。

「約束なんて何もないわよ」と彼女は言った。そしてまた帽子をかぶり、ちりよけ眼鏡をかけ、机の上の象の爪を手にとり、足の先にあてて寸法をはかった。爪の幅がほんの少しだけ大きかったので、彼女はのみをとって爪を削った。

「約束がないんなら僕と一緒に行こうよ」と僕は言った。「夕食のうまい店も知ってるしさ」

「結構よ。私は一人で踊りに行きたいのよ。もしあなたも踊りたいのなら、好きにくればいいんじゃない」

「行くよ」と僕は言った。

「お好きに」と彼女は言った。

彼女はのみで削った爪を足の先のくぼみにあてた。今度はちょうど良い大きさだった。

「新入りにしちゃうまいね」と僕は言った。

彼女はそれに対しては何も答えなかった。

その夜、夢の中にまた小人があらわれた。小人は森の広場のまん中にある丸太の上に腰をおろして煙草《たばこ》を吸っていた。今回はプレイヤーもレコードもなかった。小人は疲れた顔をしていたので最初に見たときより少し老《ふ》けて見えたが、それでも革命前に生まれた老人のようにはとても見えなかった。感じとしては僕よりせいぜい二、三歳年上というくらいだったが、小人の年というのはだいたいがよくわからないものではないだろうか。

僕はとくにやることもなかったので、小人のまわりをぶらぶらと歩き、空を見上げ、それから小人の隣りに腰を下ろした。空はどんよりと曇り、暗い色の雲が西に流されていた。いつ雨が降り出しても不思議はないような天気だ。小人はたぶんそれで、プレイヤーとレコードをどこか雨に濡《ぬ》れないところにしまいこんだのだろう。

「やあ」と僕は小人に声をかけた。

「やあ」と小人は答えた。

「今日は踊らないんだね？」と僕はたずねた。

「今日は踊らない」と小人は言った。

踊っていない時の小人はとても弱々しくて、気の毒な感じがした。かつて宮廷で権勢を誇ったとか、そういう風にはまるで見えない。

「具合でも悪いの？」と僕はきいてみた。

「ああ」と小人は言った。「気分が良くないんだ。森はひどく冷えるからさ。ずっと一人で住んでいると、いろんなことが体にこたえるようになる」

「大変だね」と僕は言った。

「活力が必要なんだ。体にみなぎる新しい活力がね。いつまでも踊りつづけることができて、雨に濡れても風邪をひかなくて、野山を駆けまわることのできる新しい活力がね。それが要るんだ」

「ふうん」と僕は言った。

僕と小人はしばらく黙って丸太の上に並んで座っていた。頭上高くで、梢《こずえ》が風に鳴っていた。時折幹の間に巨大な蝶《ちょう》が見えかくれした。

「ところで」と小人は言った。「あんたは何かあたしに頼みごとがあるんじゃないのかい？」

「頼みごと？」と僕はびっくりしてききかえした。「なんだい、頼みごとって？」

小人は木の枝を拾って、その先で地面に星の絵を描《か》いた。「女の子のことだよ。あの子が欲しいんじゃないのか？」

第八工程に入った綺麗な女の子のことだ。どうして小人があの子のことを知っているのかわからなかったが、夢の中ではまあいろんなことがおこる。

「そりゃあ欲しいけどね。だからってあんたに頼んでどうなるってもんでもないだろう。自分の力でなんとかするしかないさ」

「あんたの力じゃなんともならんさ」

「そうかい」と僕はちょっとムッとして言った。

「そうとも。なんともならんよ。あんたがいくら腹を立てたって、なんともならんものはなんともならん」と小人は言った。

そうかもしれない、と僕は思った。僕はどこをとってもごく普通の男だし、口もうまくないし、金持ちでもない。あれほどの美人をくどきおとせるとも思えなかった。

「でもあたしがちょっと力を貸せばなんとかなるかもしれんよ」と小人はそっと囁《ささや》いた。

「どんな力？」と僕は好奇心に駆られてたずねてみた。

「踊りだよ。あの子は踊りが好きだ。だからあの子の前でうまく踊りさえすれば、あの子はもうお前さんのものだよ。あんたはあとは木の下に立って果実が勝手に落ちてくるのをじいっと待ってりゃいいのさ」

「あんたが踊り方を教えてくれるのかい？」

「教えてもいい」と小人は言った。「でも一日や二日教えたくらいじゃ、どうしようもないね。毎日みっちりとやって最低半年は必要だよ。それくらいは練習しなきゃ人の心を捉《とら》える踊りはできやせんさ」

僕はがっかりして首を振った。「そんな時間はないよ。半年も待ってたらどこかの男が彼女を口説きおとしちゃうもの」

「いつ踊るんだね？」

「明日」と僕は言った。「明日の土曜の夜、彼女は舞踏場に踊りに行く。僕も行く。そこで彼女に踊りを申し込むんだ」

小人は木の枝で地面にまっすぐな線を何本か描き、そのあいだに横線をわたし、奇妙な図形を描いた。僕は黙って小人の手の動きをじっと見つめていた。やがて小人は短くなった煙草を唇《くちびる》から地面にふっと吹き落とし、足で踏んでつぶした。

「手段はないじゃない。もし本当にその女が欲しきゃな」と小人は言った。

「欲しいね」と僕は言った。

「どんな手段か聞きたいかい？」と小人は言った。

「きかせてくれよ」と僕は言った。

「あたしがお前さんの中に入るんだ。そしてお前さんの体を借りてあたしが踊るんだ。あんたなら体は丈夫そうだし、力もありそうだからな。なんとか踊れるだろう」

「体のことなら誰《だれ》にも負けやしないけどさ」と僕は言った。「でも本当にそんなことができるの？　僕の中に入り込んで踊るなんてさ」

「できる。それにそうすればあの子はもう確実にお前さんのもんさ。それで万事めでたし」

僕は舌の先で唇を舐《な》めた。なんだか話がうますぎる。一度小人を中に入れてしまったらそれっきりもう二度と外に出てこなくって、結局僕の体が小人にのっとられるってことも十分あり得るのだ。いくら女の子と寝るためだってそんな目には絶対にあいたくない。

「心配なんだな、お前さん」と小人は僕の心をみすかしたように言った。「体をのっとられるんじゃないかってさ」

「いろいろと君の噂は耳にしたからね」と僕は言った。

「良くない噂をね」と小人は言った。

「ああ、そうさ」と僕は言った。

小人はわけ知り顔でにやりと笑った。「でも心配はいらん。いくらあたしだってそんなに簡単に永劫《えいごう》に他人の体をのっとることはできないよ。そうするには契約というものが必要なんだ。つまりお互いに納得ずくでなくちゃ、そういうことはできんのさ。あんた、永劫に体をのっとられたかないだろう?」

「もちろん」と僕は身ぶるいして答えた。

「しかしまああたしとしてもまったくの無償であんたの口説きに力を貸すというのもどうも面白《おもしろ》くない。そこでだ」と小人は指を一本あげた。「ひとつ条件がある。それほどむずかしい条件じゃないが、とにかく条件だ」

「どんな?」

「あたしがあんたの体の中に入る。そして舞踏場に入って女を誘い、踊ってたぶらかす。そしてあんたは女をモノにする。そのあいだお前さんはひとことも口をきいちゃならん。声を発してもならん。女を完全にモノにしちまうまではさ」

「しかし、口をきかなきゃ女の子は口説けないよ」と僕は抗議した。

「いいや」と言って小人は首を振った。「心配しなくてもいい。あたしの踊りさえあればどんな女だって、黙ってたってモノにできる。心配はいらん。だから舞踏場に一歩足を踏み入れてから女をモノにするまで絶対に声を出してはならん。わかったかい？」

「もし声を出したら？」と僕はたずねてみた。

「その時はあんたの体をもらう」と小人はこともなげに言った。

「もし声を出さずにうまくやりとおしたら？」

「女はあんたのもんさ。あたしはあんたの体を出て森に戻《もど》る」

僕は深いため息をつき、いったいどうすればよいものか思案した。小人はそのあいだまた木の枝を持って不可思議な図形を地面に描いていた。蝶が一匹やってきて、その図形のまん中にとまった。

「のるよ」と僕は言った。「やってみることにしよう」

「決まり」と小人は言った。

舞踏場は象工場の正門のわきにあって、土曜の夜ともなればフロアは象工場の若い職工や女の子たちであふれんばかりに混《こ》みあっている。僕は人ごみをかきわけて彼女を捜した。

〈なつかしいねえ〉と小人が僕の体の中で感きわまったように言った。〈踊りというのはこういうもんさ。群衆、酒、光、汗の匂《にお》い、女の子の化粧水の香り、なつかしいねえ〉。

何人かの顔見知りが僕の姿をみつけて肩を叩《たた》き声をかけた。僕もにっこり笑ってあいさつをかえしたが、ひとことも口はきかなかった。そのうちにオーケストラが演奏を始めたが、彼女の姿はまだみつからなかった。

〈あわてることないさ。まだまだ夜は長いもの〉と小人が言った。

フロアは円形で、それが動力じかけでゆっくりと回転していた。フロアをぐるりととりまくようにして椅子席《いすせき》が並んでいる。高い天井からは大きなシャンデリアが下がり、丁寧に磨《みが》きこまれたダンス・フロアは、まるで氷盤のようにキラキラとその光を反射させていた。フロアの上手にはスポーツ競技場の観客席のように高くせりあがって、バンド・スタンドがあった。バンド・スタンドには二組のフル・オーケストラが並び、三十分ごとに交代して、一晩じゅうとぎれることなくゴージャスなダンス音楽を流しつづけた。右側のバンドは派手なツー・ドラムズで、楽団員はみんな胸に赤い象のマークをつけていた。左側のバンドの売りものは十本並んだトロンボーンで、こちらは緑色の象のマークをつけていた。

僕は椅子席に座ってビールを注文し、ネクタイをゆるめ、煙草を吸った。料金制のダンス・ガールがかわりばんこに僕のテーブルにやってきて、「ね、男前のおにいさん、踊りましょうよ」と誘ったが、僕は相手にしなかった。僕は頬《ほお》づえをつき、ビールで喉《のど》をうるおしながら、彼女が姿をあらわすのを待った。しかし一時間たっても、彼女は来なかった。ワルツやフォックス・トロットやドラム・バトルやトランペットのハイノートが舞踏場のフロアをいたずらに通りすぎていった。あるいは彼女ははじめからここに踊りにくる気なんかなくて、ただ僕のことをからかっていたのかもしれない。そんな気がした。

〈大丈夫〉と小人が囁いた。〈ぜったいに来るんだから、のんびりとかまえてなって〉

彼女が舞踏場の入口に姿を見せたのは、時計の針がもう九時をまわった頃《ころ》だった。彼女はキラキラと光るタイトなワンピースを着て、黒いハイヒールをはいていた。舞踏場ぜんたいが白くかすんでどこかに消え失《う》せてしまいそうなくらい輝かしく、セクシーだった。何人かの若い男たちが目ざとく彼女の姿を見つけてエスコートを申し出たが、腕のひと振りで軽く追い払われた。

僕はゆっくりとビールを飲みながら、彼女の動きを目で追っていた。彼女はフロアを隔てた僕の向い側あたりのテーブルに腰を下ろし、赤い色をしたカクテルを注文し、細長い紙巻き煙草に火をつけた。カクテルにはほとんど口もつけなかった。彼女は煙草を一本吸ってしまうとそれをもみ消し、それから立ちあがり、まるで跳びこみ台にでも向うような格好で、ゆっくりとダンス・フロアに進み出た。

彼女は誰とも組まずに一人で踊った。オーケストラはタンゴを演奏していた。彼女は見事にタンゴを踊った。そばで見ていてもうっとりとしてしまうような踊りだった。彼女が身をかがめると、長いちぢれた黒髪が風のようにフロアを舞い、ほっそりとした白い指が空気の弦をさらさらとかきならした。彼女はなんの気がねもなく、一人っきりで、自分のために踊っていた。じっと見ていると、それはまるで夢のつづきみたいに見えた。それで僕の頭は少し混乱した。もし僕がひとつの夢のために別の夢を利用しているのだとしたら、本当の僕はいったいどこにいるのだろう。

〈あの娘はとてもうまく踊るね〉と小人が言った。〈あの娘が相手ならやりがいもあるってもんさ。そろそろ行こうじゃないか〉

僕はほとんど意識もしないうちにテーブルから立ちあがり、ダンス・フロアに向って歩いていた。そして何人かの男たちを押しのけながら前に出て、彼女のわきに立ち、かちんと靴《くつ》のかかとをあわせて、これから踊るということをみんなに示した。彼女が踊りながらちらりと僕の顔を見た。僕はにっこりと笑いかけた。彼女はそれにはこたえず、一人で踊りつづけた。

僕ははじめのうち、ゆっくりと踊った。それから少しずつ少しずつスピードをあげ、ついにはつむじ風のように僕は踊った。僕の体はもう僕の体ではなかった。僕の手や足や首は、僕の思いとは無関係に、奔放にダンス・フロアの上を舞った。そんな踊りに身をまかせながら僕は星の運行や潮の流れや風の動きをはっきりと聞きとることができた。ダンスとはそういうものなのだという気がした。僕は足を踏み、手をまわし、首を振り、ぐるりと回った。ぐるりと回ると頭の中で白い光の球がはじけた。

彼女はちらりと僕を見た。彼女は僕にあわせてぐるりと回り、足をどんと踏んだ。彼女の中でも光がはじけるのが、僕には感じられた。僕はとても幸せな気持になった。

そんな気持になったのは生まれてはじめてのことだった。

〈どうだい、象工場なんかで働いているよりはずっと楽しかろう〉と小人が言った。僕はなんとも答えなかった。口がからからになっていて、声を出そうとしても出ない。

我々は何時間も何時間も踊りつづけた。僕が踊りをリードし、彼女が応《こた》えた。それは永遠にも感じられる時間だった。やがて彼女は精も根も尽きたという格好で踊りをやめ、僕の肘《ひじ》をつかんだ。僕も——あるいは小人もと言うべきなのだろうが——踊りをやめた。そしてフロアのまん中で、我々はつっ立ったままぼんやりとお互いの顔をみつめた。彼女は身をかがめて黒いハイヒールを脱ぎ、それを手にぶらさげてもう一度僕の顔を見た。

我々は舞踏場を出て、川に沿って歩いた。僕は車を持っていなかったので、ただただどこまでも歩くしかなかった。やがて道はゆるい上り坂になり、あたりは夜に咲く白い花の香りに覆《おお》われた。うしろを振りかえると、工場の建物が黒々と眼下に広がっていた。舞踏場からは黄色い光とオーケストラの演奏するジャンプ・ナンバーが花粉のようにまわりにこぼれ落ちていた。風はやわらかく、月の光が彼女の髪に濡《ぬ》れた光を投げかけていた。

彼女も僕も、まったく口をきかなかった。ダンスのあとでは、何をしゃべる必要もなかった。彼女はまるで道案内をされる盲人みたいにずっと僕の肘をつかんでいた。

坂をのぼりつめたところに、広い草原があった。草原はまわりを松の林にかこまれ、まるで静かな湖のように見えた。やわらかい草が腰の高さまで均等に茂り、夜の風に吹かれて踊るように揺れていた。ところどころに光る花弁を持った花が頭を出して、虫を呼んでいた。

僕は彼女の肩を抱いて草原のまん中あたりまで歩き、何もいわずに彼女をそこに押し倒した。「ほんとに無口な人ね」と言って彼女は笑い、ハイヒールをそのへんに投げ捨て、僕の首に両腕をまわした。僕は彼女の唇に口づけしてから体を離し、もう一度彼女の顔を眺《なが》めた。彼女は夢のように美しかった。彼女をこんな風に抱くことができるなんて、自分でもうまく信じられなかった。彼女は目を閉じて、僕の口づけをじっと待ち受けているようだった。

彼女の顔つきが変りはじめたのはその時だった。最初に鼻の穴からぶよぶよとした白い何かが這《は》いでてくるのが見えた。蛆《うじ》だった。これまでに見たこともないほど巨大な蛆だった。両方の鼻腔《びこう》から蛆は次々に這い出し、むかつくような死臭が突然あたりを覆った。蛆は唇から喉へと転げ落ち、あるものは目をつたって髪の中へともぐりこんだ。鼻の皮膚がずるりとめくれ、なかの溶けた肉がぬるりとまわりに広がり、あとにはふたつの暗い穴がのこった。蛆の群れはなおもそこから這い出ようとして、腐った肉にまみれていた。

両眼から膿《うみ》が吹き出していた。眼球が膿に押されて二、三度ぴくぴくと不自然に震えたあとで、顔の両脇《りょうわき》にだらりと垂れた。その奥の空洞《くうどう》の中にはまるで白い糸玉のように蛆がかたまっていた。腐った脳味噌《のうみそ》に蛆がたかっていた。舌が巨大ななめくじのようにずるりと唇から垂れさがり、ただれて落ちた。歯茎が溶解し、白い歯がぼろぼろとこぼれた。やがて口そのものも溶けて落ちた。毛根からは血が吹き出し、毛がばらばらと抜け落ちた。ぬるぬるとした頭皮のあちこちを食い破って蛆が顔を出した。それでも女は僕《ぼく》の背中にまわした腕の力をゆるめなかった。僕は女の腕をふりほどくこともできず、顔をそらすこともできず、目をつぶることさえできなかった。胃の中のかたまりが喉もとにまで上ってきていたが、それを押し出すこともできなかった。体じゅうの皮膚がぜんぶ裏がえしになってしまったような気がした。耳もとで小人の笑い声が聞こえた。

女の顔はどこまでも溶けつづけていた。筋肉が何かの拍子にねじれてしまったらしく、顎《あご》のたがはずれてぱっくりと開き、ペースト状の肉と膿と蛆のかたまりが、そのいきおいでまわりにとびちった。

僕は悲鳴をあげるために思い切り息を吸い込んだ。誰でもいいから、誰かにこの地獄からひっぱり出して欲しかった。しかし僕は結局叫びはしなかった。ほとんど直観的に、こんなことが本当に起こるわけはないと思った。僕はそう感じた。これは小人によってもたらされたただのまやかしなのだ。小人は僕に声をあげさせたいのだ。僕が一度声をあげてしまえば、僕の体は永劫に小人のものになってしまうのだ。それこそ小人の望んでいることなのだ。

僕は覚悟を決めて目を閉じた。今度は何の抵抗もなくすっと目を閉じることができた。目を閉じると草原をわたる風の音が聞こえた。背中にはしっかりと女の指が食いこんでいるのが感じられた。僕は思い切って女の体に手をまわし、こちらに引き寄せ、その腐乱した肉のかたまりの、かつて口があったと思われるあたりに唇をつけた。ぬるりとした肉片、ぶつぶつとした蛆のかたまりが僕の顔に触れ、耐えがたいほどの死臭が僕の鼻腔にとびこんできた。しかしそれはほんの一瞬のことだった。目を開けたとき、僕はもとの美しい女と口づけをかわしていた。やわらかな月の光が、彼女の桃色の頰の上に光っていた。僕は自分が小人を打ち負かしたことを悟った。僕はとうとう一声たりとも発せずに、すべてをやりとげたのだ。

「お前さんの勝ちだよ」と小人はぐったりした声で言った。「女はお前さんのものだ。あたしは出ていく」

そして小人は僕の体から抜け出した。

「しかしこれで終ったわけじゃない」と小人はつづけた。「あんたは何度も何度も勝つことができる。しかし負けるのはたった一度だ。あんたが一度負けたらすべては終る。そしてあんたはいつか必ず負ける。それでおしまいさ。いいかい、俺《おれ》はそれをずっとずっと待っているんだ」

「何故《なぜ》僕でなきゃいけないんだ」と僕は小人に向って叫んだ。「何故他《ほか》の誰かじゃいけないんだ」

しかし小人は答えなかった。笑っただけだった。小人の笑い声はしばらくあたりを漂っていたが、やがて風に吹かれて消えた。

結局のところ、小人の言ったことは正しかった。僕は今、国中の官憲に追われている。舞踏場で僕の踊りを見た誰か——あの老人かもしれない——が当局に出頭して、僕の体に踊る小人が入り込んでダンスをしたことを訴えたのだ。警官たちは僕の生活ぶりを監視する一方、僕のまわりのいろんな人々を呼んでこまかい訊問《じんもん》をした。僕の相棒が、僕がいつか小人の話をしていたと証言した。僕に逮捕状が出た。警官隊がやってきて工場をとりかこんだ。第八工程の美人の女の子が僕の仕事場にやってきて、僕にそっと教えてくれた。僕は仕事場をとびだして完成象をストックしておくプールにとびこみ、中の一頭の背中にとびのって森に逃げた。その時、警官を何人か踏みつぶした。

そのようにして僕はもう一ヵ月近く森から森、山から山へと逃げまわっている。木の実を食べ、虫を食べ、川の水を飲み、命をつないでいる。しかし警官の数は多い。彼らはいつか僕を捕えるだろう。彼らは僕を捕えたら、革命の名のもとにウィンチにまきつけて八つ裂きにするらしい。そういう話だ。

小人は毎夜僕の夢に現われて、僕の体に入れろと言う。

「少くとも警官につかまって八つ裂きにはならずに済むからね」と小人は言う。

「そのかわり永劫《えいごう》に森の中で踊りつづけるんだろう?」と僕は訊《き》く。

「そのとおり」と小人は言う。「どちらにするかはお前さんが自分で選ぶんだな」

そう言って小人はくすくすと笑う。でも僕にはどちらかを選ぶことなんてできない。犬の鳴き声が聞こえる。何匹もの犬が鳴いている声だ。彼らはすぐそこまで来ているのだ。

めくらやなぎと眠る女

背筋をまっすぐのばして目を閉じると、風のにおいがした。まるで果実のようなふくらみを持った風だった。そこにはざらりとした果皮があり、果肉のぬめりがあり、種子のつぶだちがあった。果肉が空中で砕けると、種子はやわらかな散弾となって、僕《ぼく》の裸の腕にのめりこんだ。そしてそのあとに微《かす》かな痛みが残った。

風についてそんなふうに感じたのは久しぶりだった。長く東京にいるあいだに、僕は五月の風が持つ奇妙な生々しさのことをすっかり忘れてしまっていた。ある種の痛みの感触さえ、人は忘れ去ってしまうものなのだ。肌《はだ》にのめりこんだ何かが骨を浸すあの冷やかささえ、みんな忘れてしまう。

僕はそんな風について――この傾斜地を吹き抜けていく豊満な初夏の風について――いとこに説明しようと思ったが、結局はあきらめた。彼はまだ十四歳で、この土地を離れたことは一度もなかった。失った経験のない人間に向って、失われたものの説明をすることは不可能だ。僕はのびをして、首をぐるぐるとまわした。昨夜遅くまで一人でウィスキーを飲んでいたせいで頭の芯《しん》にかすかなしこりのようなものが残っていた。

「ねえ、いま何時?」といとこが僕に訊《たず》ねた。僕といとことは二十センチ近く身長差があったので、彼はいつも僕の顔を見あげるようにしてしゃべった。

僕は腕時計を見て「十時二十分」と答えた。

いとこは僕の左腕をつかんで自分の顔の前にひきよせ、直接時計の文字盤をたしかめた。デジタルの文字を反対側から見るぶんだけ手間がかかった。彼が腕を放すと、僕も少し心配になってもう一度時計を見たが、やはり十時二十分だった。

「時計、あってる?」といとこが訊ねた。

「あってる」と僕は言った。

彼はまた僕の手首をひっぱって時計を見た。彼の指はすべすべとして、見かけよりずっと力が強かった。

「ねえ、これ高いの?」と彼は訊ねた。

「高くない。安物だよ」と僕は言った。

返事はなかった。いとこの方を見ると、彼は唇《くちびる》をうすく開けて、ぼんやりと僕の顔を見あげていた。唇のあいだからのぞいている白い歯が退行した骨のように見えた。

「安物だよ」と僕はいとこの左耳に向けてくりかえした。「でも安物のわりには正確なんだ」

いとこは「うん」と言って肯《うなず》き、唇を閉じた。僕はポケットから煙草《たばこ》を出してライターで火を点《つ》けた。いとこは右の耳が悪いのだ。小学校に入った頃《ころ》、耳にボールをぶっつけられて、それ以来耳が聴こえなくなってしまった。まるで聴こえないというのではなく、ぼんやりとは聴こえる。また比較的よく聴こえる時期と、そうではない時期とがある。それからごくまれにどちらの耳もまったく聴こえなくなるということもある。彼の母親、つまり僕の父の妹に言わせると、これは神経症のようなものであるらしい。つまり両方の耳に均等に神経をふりわけていると、ときどき右側の沈黙が左側の音を押しつぶしてしまうのである。そして沈黙が油のように五感を覆《おお》う。

僕はときどき彼の難聴そのものが、外傷のせいというよりは神経的なものではないかと思うことがある。でもそれはもちろん僕にはわからない。彼がこの八年間にわたり歩いた医師たちにもわからない。

「時計ってさ、値段が高いから正確ってものでもないんだよね」といとこは言った。「僕がずっと持っていたのなんか結構高いものだったけど、いつも狂ってたよ。結局なくしちゃったけどさ」

「うん」と僕は言う。

「ベルトの金具がちょっとゆるんでいてね、それで知らないまにはずれて落ちちゃったんだよね。気がついたら手についてなかったんだ」

彼は左手の手首をぐっと空中に持ちあげた。

「買ってもらって一年もたたないうちに失《な》くしちゃったもんで、次のを買ってもらえなくてさ、それ以来ずっと腕時計なしでやってるんだ」

「時計がないと不便だろう？」と僕は口のはしに煙草をくわえたまま訊ねた。

「え？」といとこが言った。

「不便じゃない？」と僕は煙草を手に持って言いなおした。

「そうでもない」といとこは言った。「たいして困るというほどのこともないね。そりゃ困ることがまったくないってわけじゃないけど、山の中で暮しているんじゃないし、誰《だれ》かに聞こうと思えば聞けるよ。それにだいいち失くす方が悪いんだ。そうだよね？」

「そうだろうね」と僕は言って笑った。

「いま何分？」といとこが訊ねた。

「二十六分」と僕は言った。

「バスは何分に来るの？」

「三十一分」と僕は答えた。

彼はしばらく黙った。そのあいだ僕は煙草の残りを吸った。

「時間の合わない時計を持ち歩くっていうのも結構疲れるものなんだよ。いっそのことない方がましだって思うこともあるくらいでさ」といとこは言った。「でももちろんわざと失くしたんじゃないよ」

「うん」と僕は言った。

いとこはまた黙った。

彼に対してもう少し親切にいろいろと話しかけてやらなければならないことは、自分でもよくわかっていた。でもいったい何を話せばいいのか、僕にはわからなかった。僕がこの前彼に会ってからもう三年たっていた。その三年のあいだに彼は十一から十四になり、僕は二十二から二十五になっていた。そしてその三年のあいだに自分の身に起こったことをひとつひとつ思い起こしてみると、僕がこの少年に対して語りかけるべきものなんて何ひとつないように思えた。何か必要なことを言おうとしても、ことばが一瞬うまくでてこなかった。そして僕がふとことばを詰まらせるたびに、少年は哀《かな》しげな顔つきで僕を見あげた。いつも左側の耳が心もち僕の方に傾けられていた。いとこのそういう顔を見ていると、僕は自分まで途方に暮れているような気持になった。

「いま何分？」といとこが訊ねた。

「二十九分」と僕は言った。

バスがやってきたのは十時三十二分だった。

僕がこの路線バスに乗って高校に通っていた頃に比べると、バスの型はずいぶん新しくなっていた。運転席の窓ガラスがいやに大きく、まるで翼をもぎとられた大型爆撃機みたいに見える。僕は念のためにバスの系統番号と行先の表示をたしかめてみる。大丈夫、間違いない。ふうっという息を吐いてバスが停《と》まり、後部の自動ドアが開いた。僕といとこは前部のドアが開くものと思いこんでいたのであわててうしろにまわり、ステップに上った。七年もたつと実にいろんなことが変ってしまう。

バスの中は思ったより混《こ》んでいた。立っている客はいなかったが、我々二人が並んで座れる余裕はなかった。それで我々は立っていることにした。立っていって疲れるほどの道のりでもない。しかしこの時間帯のこの路線バスで、これほど沢山の客が乗っているのを見たのははじめてだった。私鉄の駅を出て山の手をぐるりとまわり、また同じ駅に帰ってくるだけのバスで、べつに沿線に何か変ったものがあるというわけでもない。朝夕のラッシュをはずせば、あとはいつも客の数はせいぜいが二、三人というところなのだ。

でも、そういうのも結局は僕が高校生だった頃の話である。きっと何かのせいで交通事情が変ってしまったということもあるのだろう。それで朝の十一時にもバスがぎっしり満員になるようになったのだ。いずれにしても僕とはもう関《かかわ》りのない話である。

僕といとこは車両のいちばんうしろに立って、それぞれに吊皮《つりかわ》と支柱をつかんでいた。バスの内部はまるでおろしたてのように綺麗《きれい》だった。金属部分にはくもりひとつなく、シートのけばもきちんとして、新しい機械に特有のくっきりとした匂《にお》いがあたりに漂っている。僕は車内をひととおり検分してから、壁にずらりと並んだ広告を眺《なが》めた。どの広告も結婚式場とか中古車センターとか家具店といったようなローカルなものばかりだった。結婚式場だけで全部で五つも広告がある。その他《ほか》に結婚相談所と貸衣裳《かしいしょう》店の広告もひとつずつあった。

いとこはまた僕の左手をつかみ、腕時計の時刻をたしかめた。どうして彼がそんなに時間ばかり気にするのか、僕にはさっぱり理解できなかった。急ぐことなんて何ひとつなかったからだ。病院の予約時間は十一時十五分だから、このままいけば三十分近く時間があまることになる。できることなら時間を進ませたいくらいのものだ。

それでも僕は時計の文字盤をいとこの顔に向けて見たいだけたっぷりと見せておいた。それから腕をもとに戻《もど》し、運転席のうしろにかかっている料金表を調べて小銭の用意をした。

「百四十円」といとこが確認した。「病院前っていうところでいいんでしょう?」

「そうだよ」と僕は言った。

「こまかいお金あるの?」と彼は心配そうに言った。

僕は手にした小銭をいとこの手の中にばらばらとあけた。いとこは百円玉と五十円玉と十円玉を丁寧に選《よ》りわけて勘定した。そしてちょうど二百八十円ぶんあることをたしかめた。「二百八十円あるよ」と彼は言った。

「持ってなよ」と僕は言った。彼は肯いて左手に小銭を握りしめた。僕はそれからしばらくずっと窓の外の風景を眺めていた。ひとつひとつに見覚えのあるなつかしい風景だった。真新しいマンションやタウンハウスやレストランのようなものもところどころにあることはあったが、全体としての街の風景の変化は予想していたよりずっとおだやかなものだった。いとこも僕と同じように外の風景を眺めてはいたが、彼の視線はまるでサーチライトみたいにあちらこちらを往《い》ったり来たりしておちつかなかった。

バスが停留所を三つぶん、停まらずに通りすぎた頃になって、僕はふと車内に何かしら奇妙な気配が漂っていることに気づいた。いちばん最初に意識にひっかかったのは、話し声だった。話し声のトーンがどことなく奇妙に一本調子なのだ。それほど多くの乗客が一斉《いっせい》にしゃべっているわけでもないし、とくに大きな声を出しているわけでもないのに、みんなの声が一箇所に、まるで空気の吹きだまりのように、固まってしまうのだ。そしてその音が聴覚の一部を不自然に刺激しているのだった。

僕は吊皮を右手でつかんだまま体をひねるようにして、何気ない素振りで乗客の姿を見渡してみた。我々の位置からは殆《ほと》んどの乗客の後頭部しか見ることができなかったが、一見した限りではとくに変った様子はない。ごく普通の満員バスの光景と同じだった。車がピカピカに新しいぶんだけ人々の姿がどことなく画一的に見えるようにも思えたが、それもおそらくは気のせいだった。

僕のまわりには七人から八人の老人がかたまって座り、小さな声でそれぞれに何かを語りあっていた。そのうちの二人が女性だった。何を話しているのかはっきりとは聴こえないが、彼らにしかわからない細々とした事象が話題となっているらしいことはそのひっそりとした親密な口調からわかった。彼らの年齢は六十代から七十代半ばというあたりで、一人一人がビニールのショルダー・バッグのようなものを膝《ひざ》の上に載せたり肩からかけたりしていた。小さなリュックを持っているものもいた。どうやらこれから山に登るらしい。よく見るとそれぞれの胸には揃《そろ》いの小さなブルーのリボンが安全ピンでとめられていた。全員が体を動かしやすい服を着て、運動靴《うんどうぐつ》をはいていた。運動靴は見たところしっかりと使いこまれているようだった。老人がそういう格好をすると往々にしてちぐはぐな感じを受けるものだが、彼らの場合は実にしっくりと体にあっていた。

奇妙なのは、僕《ぼく》の覚えている限りでは、このバスの路線が登山コースらしきものを一切通っていないことだった。バスは山の斜面をのぼり、延々とつづく住宅街を抜け、僕の高校の前を通り、病院の前を過ぎ、山の上をぐるりとまわって下に降りてくる。どこにもいかない。バスの到達するいちばん標高の高い地点には団地が建っていて、そこがいきどまりなのだ。彼らがいったいどこに行こうとしているのか、僕には見当もつかなかった。

いちばん妥当なのは老人たちが間違った路線のバスに乗ってしまったという可能性だった。彼らがいったいどこから乗りこんできたのかわからないから、なんとも言えないわけだけれど、このあたりからケーブル駅までのぼるバスはいくつか出ているから、それと間違えて乗ってしまうというのはありえないことではなかった。

もうひとつの可能性はバスのルートが僕の知らないうちにすっかり変ってしまったのではないかということだった。これもありえないことではなかった。というより、こちらの可能性の方がずっと確率が高そうだった。なにしろ僕はもう七年もこのバスに乗っていないのだし、老人たちがそれほど不注意に間違ったバスに乗り込むとも思えなかったからだ。そう思うと急に不安になってきた。窓の外の風景も昔とまるで違っているように思えてきた。

いとこはそのあいだずっと僕の様子をうかがっていた。

「少しここで待ってなよ」と僕は彼の左耳に向けて言った。「すぐに戻るから」

「どうかしたの？」と彼は不安そうに言った。

「大丈夫だよ。ちょっと停留所を調べてくるだけだからさ」

僕は通路を抜けて運転席の後ろに辿《たど》りつき、表示板に記されたややこしい路線図を調べた。僕は「28」というバスのルート番号をまず確認し、それから我々が乗った私鉄の駅前の停留所を探し、そこからルートに沿って停留所をひとつひとつ辿っていった。どの停留所の名前もなつかしかった。昔と同じ路線だった。僕の通っていた高校の名前があり、病院があり、団地があり、バスはそこで方向を変え、別の斜面を下って、行きと同じルートに戻っていた。間違いない。間違っているとすれば、彼らの方が間違っているのだ。僕はほっとして後ろを振りかえり、いとこのところに戻ろうとした。

その時になって僕はやっと、バスの中を支配している奇妙な空気の原因を理解することができた。僕といとこをのぞけば一人の例外もなく、まるで貸切りバスみたいに、バスの乗客の全員が老人なのだ。彼らはみんなバッグをかかえ、胸に青いリボンをつけていた。そして何人かずつ固まって、口々に何かを言いあっていた。僕は支柱につかまったまましばらく茫然《ぼうぜん》と彼らの姿を眺めていた。老人たちは全部で四十人近くはいただろう。彼らはみんな顔色がよく、背筋もきちんと伸びて、元気そうだった。何がとくにおかしいというわけではないのだけれど、それは何かしら非現実的で不思議な光景だった。たぶん僕がそれまで老人にとりかこまれる経験を持たなかったせいだろう。そうとしか考えようがなかった。

僕は通路を引きかえした。席についた老人たちは自分たちのあいだの話に夢中で、僕の存在に対しては誰ひとりとして注意を払わなかった。僕といとこが車内における唯一《ゆいいつ》の異分子であるということなんかべつにどうでもいいと彼らは考えているみたいだった。あるいはそんなことにはまったく気づいてもいないみたいだった。

通路を隔てて座っていたワンピース姿の二人の小柄《こがら》な老婆《ろうば》が、両脚を床から上げて、通路に向って横むけにつきだしていた。二人ともとても小さなサイズの白いテニス・シューズをはいていた。彼女たちはまっすぐにのばした両脚をときおり、まるで波みたいに上下にゆっくりと揺らせていた。なんのために二人がそんなことをしているのか僕にはよくわからなかった。二人でべつにたいした意味もなく遊んでいるのかもしれなかった。あるいは山にのぼるための準備運動をしているのかもしれなかった。僕は通路に突き出された二対《つい》のテニス・シューズを避けるようにして、いちばんうしろのいとこのいる場所に戻った。

僕が戻ったことで、いとこはとてもホッとしたように見えた。彼は右手で吊皮をつかみ、左手に小銭を握りしめたまま、じっと僕が戻るのを待っていた。老人たちが淡い影のように彼のまわりを取り囲んでいた。しかし彼らの目から見れば影のように見えるのは僕たちの方なのかもしれなかった。ふとそんな気がした。彼らにとっては本当に生きているのは彼ら自身の方で、僕たちの方が幻のようなものなのだ。

「このバスで間違いなかった?」と不安そうにいとこがたずねた。

「もちろんあってるよ」となんでもなさそうに僕は答えた。「だって高校のころは毎日これに乗って学校に通ってたんだもの、間違えっこないさ」

それを聴いていとこはずいぶん安心したみたいだった。

僕はそれ以上口をきかず、吊皮に体重をかけたまま老人たちの団体をしばらく眺めていた。彼らはみんなよく日に焼けていた。首のうしろまで黒い。そして一人の例外もなくやせていた。太った老人は一人として混じってはいなかった。男の多くは登山用のネルのシャツを着て、女の多くは余計な飾りのない簡素なワンピースを着ていた。

彼らがいったいどのような種類の団体に属しているのか、僕にはまったく見当がつかなかった。ハイキングかピクニックのクラブなのかもしれないが、それにしては一人ひとりの老人の雰囲気《ふんいき》があまりにも似通いすぎていた。彼らはまるで項目べつに並んだ何かのサンプルの引出しをひとつだけ抜き出して、そのまま持ってきた、といった感じに見えた。彼らは顔つきも体つきもしゃべり方も服装の好みも、何もかもが似ていた。とはいっても影が薄いというのではなく、一人ひとりに個性や特徴がないというわけでもない。老人たちはそれぞれにきちんとした存在感のある老人だった。彼らはそれぞれに健康で、血色がよく、日焼けしていた。そしてそれぞれに清潔で、身のこなしもきびきびとしていた。だから十把《じっぱ》ひとからげに区別ができないというのではない。ただ、彼らのあいだには何かしら共通するトーンのようなものがあった。社会的な地位とか、ものの考え方とか、行動のパターンとか、育ち方とか、そういったいろんなものが渾然《こんぜん》一体となったトーンだった。そのトーンが、まるでかすかな耳なりのようにバスの車内を支配していた。それは決して不快な音ではなかったが、やはり奇妙なものだった。

だいいち、彼らがこのバスに乗ってどこに行こうとしているのかがわからなかった。僕はよほど手近にいる老人に、どこに行くつもりなのか訊《き》いてみようかとも思ったが、なんだか余計な詮索《せんさく》をするような気がして、思いなおした。いくら老人とはいってもきちんとした団体なのだし、間違ったバスに乗るなんてちょっと考えられない。それにもし間違ったバスに乗ったのだとしても、バスは循環路線なのだから、ぐるりと一周してもとの場所に戻ってくるだけの話だ。どちらにしても口出しはしない方がよさそうだった。

「今度の治療って痛いのかなあ」といとこが心配そうに僕に訊《たず》ねた。

「どうだろうね」と僕は言った。

「耳のお医者にかかったことある?」といとこが訊ねた。

僕はちょっと考えてみたが、耳の医者にかかった覚えはなかった。たいていの医者にはかかったが耳の医者にだけはかかったことがない。だから耳の医者がいったいどんな治療をするものなのか、見当もつかなかった。

「これまでのやつはずいぶん痛かったの?」と僕はきいてみた。

「そんなでもない」といとこは言った。「でもね、そりゃ痛いときもあるよ。いろんなものつっこんでみたりさ、洗滌《せんじょう》したりさ。たまにだけどね」

「じゃ今度のも同じくらいのものじゃないのかな。お母さんの話だとこれまでとそう変った治療法をするわけでもなさそうだからさ」

いとこはため息をついて僕の顔を見上げた。「これまでと同じようなことやってても治りゃしないよ。そうでしょ?」

「それはわからないよ」と僕は言った。「何かの拍子ってこともあるしさ」

「栓《せん》がすぽんと抜けるみたいに?」といとこが訊ねた。僕はちらっといとこの顔を見たが、とくに僕に向って皮肉を言っているようにも見えなかった。

「対する人がかわると気分もかわるし、ちょっとした細かい作業の違いが大きな意味を持つってこともあるしさ。だから簡単にあきらめちゃう手はないよ」と僕は言った。

「あきらめてるわけじゃないんだけどね」といとこは言った。

「うんざりする?」

「まあね」といとこは言った。「それに恐《こわ》いんだよ、本当はね。痛いのが嫌《いや》なんだ。本当の痛みより、痛みを想像することの方がつらいんだよ。そういうのってわかる?」

「もちろんわかるよ」と僕は言った。「それが普通の人間だもの」

彼は右手で吊皮をつかんだまま、左手の小指の爪《つめ》をかんだ。「僕が言いたいのはさ、こういうことなんだよ。つまりさ、僕以外の誰《だれ》かが痛みを感じていて、それを僕が見てるとするね。それで僕はその他人の痛みを想像してつらいと思うね。でもさ、そんな風に想像する痛みって、本当にその誰かが経験している痛みとはまた違ったものだよね。うまく言えないけどさ」

僕はいとこに向って何度か肯《うなず》いた。

「うん、痛みというのはいちばん個人的な次元のものだからね」

「これまでいちばん痛かったのって、どんなこと?」

「僕が?」と僕はちょっとびっくりして訊ねた。誰かにそんな質問をされるなんて、僕はそれまで考えたこともなかった。痛み?

「肉体的な痛みのこと?」

「そう」といとこは言った。「もう我慢できないくらい痛かったことってあった?」

僕は両手で吊皮につかまったまま、ぼんやりと外の風景を眺めながら、それについて考えてみた。

痛み?

しばらく考えたあとで、僕は自分の中に痛みに関する記憶が殆んど残っていないことに気づいた。もちろん痛いめにあった記憶はいくつかある。自転車で転んで歯を折ったこともあるし、手のひらを貫通するほど強く犬に嚙《か》まれたこともある。しかし痛みそのものの実体ということになると、僕は何ひとつとして正確に思いだすことができないのだ。僕は左の手のひらを広げて、犬にかまれたあとを探してみたが、傷痕《きずあと》はあとかたもなく消え去っていた。その傷痕がどの位置にあったのかさえきちんと思いだせない。時間が経《た》つといろんなものが、本当にあっさりと消えてしまうのだ。

「思い出せないよ」と僕は言った。

「でも痛かったことはいっぱいあったんでしょ？」

「そりゃね」と僕は言った。「長く生きていれば痛いことだってそれなりにあるさ」

いとこはちょっと肩をすくめるような動作をして、また考えこんだ。「年なんてとりたくないんだよ」と彼は言った。「つまりこれから先、何度も何度もいろんな種類の痛みを体験しなくちゃならないのかと思うとさ」彼は左耳をわずかに僕の方に傾けてしゃべった。そのあいだ目は斜めの吊皮《つりかわ》の向う側を睨《にら》んでいたので、彼はなんだか盲人のように見えた。

その年の春、いろんなうんざりするできごとがつづけざまに起って、僕はそれまで二年間通っていた会社を辞めた。そして東京を離れ、家に帰ってきた。用事を済ませたらすぐに東京に戻《もど》って新しい仕事にかかるつもりだったのだが、家でのんびりと庭の草をむしったり塀《へい》をなおしたりしているうちに急にいろんなことが嫌になって、東京に戻るのを一日のばしにしていた。故郷の街自体はもう何の魅力もなかった。港に行って船を眺《なが》め海の風を胸に吸いこみ、昔通った店をひととおりまわってしまうと、あとはもうやることなんて何もない。昔の友だちは一人も残っていなかったし、街はもう昔ほど魅力的でもなく、刺激的でもなかった。街が僕の前に差し出す様々なスタイルはどれをとってみても、見てくれだけのボール紙のはりがみ細工のように思えた。要するに僕が年をとったということなのだが、もちろんそれだけではなかった。それだけではないからこそ、僕は東京に戻らず、一人で一日庭の雑草をむしったり、縁側に寝転んで古い本を読んだり、トースターの修理をしたりしながら、一日いちにちと日々をぼんやりと過していた。

僕がそういう風にしていると叔母がうちにやってきて、いとこが新しい病院に通うことになったので、僕にはじめの何度かつきそっていってやってはくれまいか、と言った。病院は僕の通っていた高校の近くにあって地理はよくわかっていたし、どうせ暇だったから僕の方に異存はなかった。叔母は僕に食事でもしてちょうだいと言って思ったより多くの小遣いをくれた。たぶん僕が失職して金に困っていると思ったのだろう。まあいずれにせよ邪魔になるものではないから、僕はありがたく頂いておいた。

いとこが新しい病院に移ることになったのは早い話が、それまでの病院での治療がまるで効果のなかったせいだった。効果がないどころか、彼の難聴サイクルの幅は以前より激しくなっていた。そのことで叔母が医者に文句を言うと、医者の方はおたくの家庭環境に問題があるんじゃないかという意味のことを言って、それで喧嘩《けんか》になったのだ。

もっとも新しい病院に変ったからといって彼の耳がすぐに快方に向うことになるとは、誰も期待してはいなかった。まわりの人間はみんな、彼の耳については――もちろん口にこそ出しはしないけれど――すっかりあきらめきっているようだった。いとこにはどことなくそういう雰囲気があった。

僕といとことは昔からとくに仲が良いというわけではなかった。お互いの家こそ近かったけれど、子供たちの歳《とし》がずいぶん離れているせいで、それほどの往《い》き来もなかった。それでもいつの間にか、みんなは僕とそのいとこを一対として考えるようになっていた。つまり彼が僕になついて、僕が彼をかわいがっていると見なされるようになったわけだ。どうしてそんな風に思われるのか、僕にはずっとその理由がわからなかった。僕といとこのあいだに、それほどの共通点はないように思えたからだった。

　しかし今こうして、小首をかしげるような格好で左耳をじっと僕の方に向けているいとこの姿を見ていると、僕は妙に心を打たれた。ずっと昔に聞いた雨の音のように、彼の不器用に誇張された一挙一動が、しっくりと僕の体になじんだ。親戚《しんせき》の人々がなぜ僕と彼を結びつけたがったのかが、なんとはなしにわかるような気がした。

「ねえ、いつ東京に帰るの？」といとこがたずねた。

　僕はこりをほぐすように軽く首を振った。「さあ、いつになるかな」と僕は言った。

「急がないんだね」

「急がないね」と僕は言った。

「仕事やめたの？」

「やめたんだ」

「どうして？」

「つまんないからさ」と僕は言って笑った。

　いとこの方もちょっと迷ってから笑った。そして吊皮を持つ手を変えた。

「お金のこと困んないの？　仕事しなくってさ？」

「まあいつかは困るだろうけど、当分は大丈夫だよ。貯金もあるし、仕事をやめた時に少しはお金ももらったしさ。しばらくは困らない。困ったらまた働くけど、それまではのんびり遊ぶんだ」

「いいね」といとこ。

「いいさ」と僕《ぼく》。

ざわざわとした車内のおしゃべりはずっとつづいていた。バスはどの停留所でも停《と》まらなかった。運転手は停留所に近づくたびにその名前を呼んだが、誰も停止ボタンを押さなかった。停留所の名前に対しても誰ひとり関心を示さない。新しい乗客も乗りこんではこなかった。バスは信号のないゆるやかな坂道をどこまでものぼりつづけた。道は広く、滑らかで、くねくねと曲ってはいたが、横ゆれも振動もほとんどなかった。バスが向きを変えるたびに、初夏の風がバスの中を吹き抜けていった。老人たちは自分たちのあいだの話に夢中で、外の風景には目もくれなかった。風が彼らの髪や帽子の縁やスカーフを揺らせても老人たちは気にもとめなかった。彼らは安心しきってバスに身を委《ゆだ》ねているように見えた。

バスが七つめか八つめの停留所をとおりすぎたあたりで、いとこが不安そうな顔をした。

「まだもっと先なの？」

「うん、まだ先だよ」と僕は言った。窓の外の風景には見覚えがあったから不安は感じなかったけれど、バスは僕が記憶していたよりずっとスピードを出していた。新しい型の大型バスはまるで狡猾《こうかつ》な動物みたいにアスファルト道路にぴったりと貼《は》りつき、くぐもった音を立てながら斜面をかけのぼっていた。

いとこがまた僕の時計を見た。いとこが見終ると、僕も時計を見た。十時四十分だった。町はしんとして、車の姿も人の姿もほとんどなかった。通勤のラッシュ・アワーが終り、主婦が買物に出かける前の、住宅街の静かなひとときだった。その中を殆《ほと》んどノンストップで、バスは通り抜けた。

「ねえ、うちのお父さんの会社で働くことになるの？」といとこが訊ねた。

「いや」と言ってから、僕は頭を整理した。「いや、そんなつもりはないよ。どうして？」

「そうなんじゃないかと思っただけだよ」といとこは言った。

「誰かにそんな話を聴いた？」

いとこは首を振った。「でも働けばいいのに。ずっとこっちにいてさ。人も足りないっていってるしさ。きっとみんな喜ぶよ」

運転手が停留所の名前を呼んだが、誰も反応しなかった。バスはスピードをゆるめずに通りすぎた。僕は吊皮にもたれかかったまましばらくなつかしい町の風景を眺めた。胃の奥の方に空気がかたまったようなもったりとした感触があった。

「あんまりさ、僕には向かないんだよ」と僕は言った。ぼんやり外を見ていたいとこはあわてて左耳を僕の方に向けた。

「仕事があわないんだ」と僕はくりかえした。そう言ってしまったあとで、そのことでいとこが傷ついたらしい気配を感じた。でもしかたない。嘘《うそ》をつくわけにもいかないのだ。僕の適当にしゃべったことが違った形で叔父の耳につたわったりしたら、それはそれで余計にややこしいことになってしまう。

「つまんないの?」といとこが訊ねた。

「つまらないかどうかはわからないよ。でも僕には他《ほか》にやりたいことがあるからさ」

「うん」と彼は言った。それで少しは納得したようだった。僕が何をやりたいかといったようなことに対しては、彼はそれ以上何も質問しなかった。僕もいとこもずっと口を閉じて外の風景を眺めていた。

山の斜面を上るにつれて家並みはだんだんまばらになり、うっそうとした巨木の枝が濃いかげを路上におとすようになる。塀が低く庭の広いペンキ塗りの外国人住宅も目につくようになってくる。風が心もちひやりとする。ふりかえると眼下に海が見えかくれする。僕といとこはそんな風景をずっと目で追っていた。

我々が病院前でバスを降りた時にも、老人たちはまだざわざわとおしゃべりをつづけていた。何人かは声をあげて笑っていた。中に一人おもしろいことを言う老人がいるらしく、そのまわりではずっと笑い声がおこっていた。僕は吊皮の横の停止ボタンを押し、バスが停まるといとこに合図して出口に向った。何人かの老人が我々の方をちらりと見たが、おおかたはバスが停まったり僕たちが降りたりすることに対してはまるで無関心だった。我々が地面におりると、コンプレッサー音とともにうしろでドアが閉まった。そして老人を満載したバスは斜面をのぼり、大きなカーブを曲って消えていった。老人たちがいったいどこに行こうとしていたのか、僕にはとうとうわからないままに終ってしまった。

僕がバスの行方をぼんやりと見とどけているあいだ、いとこもずっと僕のとなりで同じような姿勢で立っていた。彼の左耳は僕がいつ話しかけてもわかるように、ずっと僕の方を向いていた。そういうのはこちらが慣れていないと、なんだか変なものだ。いつも何かを求められているような気分になってしまう。

「さあ行こう」と言って、僕はいとこの肩をたたいた。

約束の時間になっていとこが診察室に入っていくのを見届けてから僕はエレベーターで一階に下り、食堂に入った。ショーケースに入っている食品見本はどれも不味《まず》そうだったが、腹も減っていたので、僕は比較的ましに見えるパンケーキとコーヒーのセットを注文してみた。運ばれてきたものに口をつけてみると、コーヒーの味は悪くなかったが、パンケーキの方はちょっとひどい代物《しろもの》だった。冷えていて中が水っぽく、おまけにシロップが甘すぎる。僕はなんとか半分だけは喉《のど》の奥に押しこんだが、あとはどうしようもなくて皿《さら》を向うに押しやった。

平日の午前中ということもあって、食堂には僕の他には家族が一組いるだけだった。四十代半ばと見える父親が入院患者で、母親と二人の小さな女の子が見舞客だった。女の子は双子で、揃《そろ》いのワンピースを着て、どちらもかがみこむような格好でオレンジ・ジュースを飲んでいた。父親の怪我《けが》だか病気だかは見たところそれほど重いものではないらしく、両親の方も子供たちの方も、それぞれに退屈そうな表情を顔に浮かべていた。話すことがないのだ。

窓の下には広い芝生の庭が広がっていた。芝生は均一に刈り揃えられ、そのあいだを砂利敷の散歩道がとおっている。方々でスプリンクラーがぐるぐるとまわって、芝生に水を撒《ま》いていた。高い声で鳴く尾の長い鳥が二羽、その上をまっすぐに横切って視野から消えていった。広い芝生の庭の先にはテニス・コートやバスケットボール・コートがあった。テニス・コートにはきちんとネットがはってあったが、人影はなかった。テニス・コートとバスケットボール・コートに沿って、けやきの巨木が壁のように一列に並んでいる。そしてその枝のあいだから海が見えた。葉が密に繁《しげ》っているせいで、水平線まではっきりとは見えなかったが、いたるところで小さな波がキラキラと初夏の太陽を照りかえしていた。

窓のすぐ下には金網でまわりを囲まれた家畜小屋があった。小屋は五つの部分にわかれていて、もともとはいろいろな動物が飼われていたのかもしれないが、今残っているのは山羊《やぎ》と兎《うさぎ》だけだった。山羊が一頭と、兎が二羽だ。兎はどちらも茶色で、休む暇もなく草をかじりつづけていた。山羊は首のうしろが痒《かゆ》いらしく、金網をまきつけた支柱にぐいぐいと首を押しつけていた。

ずっと昔にこれとまったく同じ風景を見たことがあるような気がした。広い芝生の庭があって、海が見えて、テニス・コートがあって、兎と山羊がいて、双子の女の子がオレンジ・ジュースを飲んでいて……という風景だ。でも、これはもちろん錯覚だった。僕がこの病院に来たのはこれがはじめてだったたし、庭や海やテニス・コートはともかく、兎や山羊や双子の女の子までがどこか別の場所にも同じようにいたなんて、ちょっと考えられないことだった。

僕はコーヒーを飲んでしまうと両足を揃えてむかいの椅子《いす》の上にのせ、目を閉じ大きく一度息をした。目を閉じると、ぶ厚い暗闇《くらやみ》の中にしこりのようなものが見えた。それは白いダイヤ型のガス体で、顕微鏡で見る微生物みたいに膨んだり縮んだりした。奇妙なものだった。

しばらくして目を開けた時、四人づれの親子の姿はなく、食堂は僕一人きりになっていた。それから僕は煙草《たばこ》に火を点《つ》け、退屈した時にいつもそうするように、ずっと煙の形を眺めて時間をつぶした。煙草を一本吸ってしまうと、グラスの水を飲み、また目を閉じた。しかし目を閉じても、さっき感じた既視感は頭の中にまだはっきりと残っていた。

変な話だった。僕が最後に病院に行ったのは八年も前のことで、それもここは全然外観の違う海岸近くの病院だった。その病院にも食堂はあったが、そこの窓からはキョウチクトウしか見えなかった。古い病院で、いつも雨の降っているような匂《にお》いがしていた。だからここと思い違えたりするわけがないのだ。

その年の夏、僕は十七歳だった。その年に他にどんなことがあったのか思い出そうと僕はしばらく試みてみたが、まるで駄目《だめ》だった。どういうわけか、何ひとつとして思い出せない。その年に同じクラスにいた何人かの連中の顔はさっと思い出せるのだが、思い出せるのはそこまでで、それが何かしらの出来事や情景と直接に結びついてこないのだ。

記憶がないというわけではない。記憶はむしろぎっしりと頭の中に詰まっているのだ。それをうまく外にひきずり出すことができないのだ。というか、一種の制御装置のようなものが働いて、頭の小さな穴からやっとはいだしてくる記憶を、まるではさみでとかげを分断するように、ばらばらな断片に変えてしまうのだ。

とにかくその年の夏、僕は十七歳で、友だちと二人でその海岸沿いの古い病院に行った。彼のガール・フレンドがそこに入院して胸の手術をしたので、見舞いに行ったのだ。

手術とはいってもそれほどたいしたものではなく、生まれつき胸部の骨の一本が少し内側に向ってずれていたので、それを正常に戻《もど》すといったようなことだったと思う。べつに緊急を要する処置ではないのだが、どうせやるならあまり年をとってからではつらいし、夏休みにあわせて手術を済ませてしまうということになったのだ。手術自体はあっという間に済んでしまったのだが、骨の位置が心臓に近かったので医師が術後の経過を見たいということもあり、彼女の方でも入院したついでに精密検査をしてもらったりで、結局そこに二週間近く入院していた。

我々はヤマハの125ccのバイクに相乗りして、病院まで行った。往きは彼が運転し、帰りは僕が運転することになっていた。僕は友だちのガール・フレンドの見舞いになんて行きたくもなかったのだけれど、彼はどうしても僕に一緒についてきてほしいと頼んだ。「一人で病院に行って顔つきあわせて、何を話せばいいのかよくわかんないよ」と彼は言った。僕も彼もそれまで病院に行ったことなんて一度もなかった。だから病院というのがどういうものなのか、まるで想像もできなかったのだ。

彼は途中で菓子屋に寄ってチョコレートの箱を買った。僕は片手で彼のベルトにつかまり、片手でチョコレートの箱を握りしめていた。とても暑い日で、我々のTシャツはどちらも汗でぐっしょり濡《ぬ》れたりそれがまた風で乾いたりというのを何度も繰りかえしていて、それでまるで家畜小屋みたいな匂いがした。友だちは運転しながらずっとわけのわからない唄《うた》をうたいつづけていた。うしろの席にいるとわきの下の汗の匂いで頭がおかしくなってしまいそうだった。

我々は病院の門をくぐる前に海岸べりにバイクをとめ、そのあたりの木かげに寝転んで一息ついた。海はその頃《ころ》には既に汚れていたし、夏も終りに近かったので泳いでいる人の数は少かった。我々はそこに十五分くらいいて、煙草を吸ったり話をしたりしていた。だからたぶんチョコレートはもうどろどろに溶けてしまっていたんじゃないかと僕は思う。でもその時はチョコレートのことなんて考えもしなかった。

「なんだか変だと思わないか？」と彼は言った。「つまり今、こういう風にして、二人でここにいることがさ」

「変じゃないよ」と僕は言った。

「変じゃないことは俺《おれ》にだってわかってるよ」と彼は言った。「それでも何か変だっていう気がするんだ」

「たとえばどういうところが？」

友だちは首を振った。「よくわからないけどさ、場所とか時間とかさ、きっとそういうものだな」

八年前のことだ。その友だちはもう死んでしまって、今はいない。

僕は椅子を引いて立ちあがり、レジ係の女の子のところまで歩いてコーヒーの食券を買い、それをウェイトレスに渡してからテーブルに戻り、また海を眺《なが》める。二杯めのコーヒーが運ばれてくる。コーヒー・カップのわきに、袋入りの砂糖とクリームの入った小さなプラスチック容器が添えられている。僕はまず砂糖の袋を手にとって中身を灰皿にあけ、その上にクリームをかけ、煙草の吸殻《すいがら》で泥《どろ》のようになるまでかきまわした。どうしてそんなことをするのか自分でもよくわからなかった。というより、しばらく時間がたつまで、自分がそうしていることに気がつかないのだ。灰皿の中にグラニュー糖とクリームと煙草の葉がぐしゃぐしゃに混ざりあったものを見て、それではじめて自分が何をやっていたかに気づくのだ。時々そんな風になることがある。感情がうまく抑えられないのだ。

僕は体のバランスをたしかめるように両手でコーヒー・カップを持ち、カップの縁に唇《くちびる》をつけ、ゆっくりとコーヒーを飲む。そして熱いコーヒーが唇から喉へ、喉から食道へと移動していくのを確認する。そして僕は自分の体の中に自分自身がすっぽりと収まっていることを認める。テーブルの上で両手をいっぱいに広げ、そして閉じる。腕時計の秒デジタル表示が01から60まで変化していくのをひととおり眺める。

僕にはよくわからない。

ひとつひとつをとりあげてみれば、どれもこれもたいした記憶ではないのだ。とくに何があったというのでもない。僕の友だちがそのガール・フレンドを病院に見舞いに行き、僕がそれにつき添ってきたというだけのことなのだ。それ以上の事件は何もない。わざわざ真剣に思いおこすほどのことじゃない。

彼女は青いパジャマを着ていた。大柄《おおがら》の新しい青いパジャマで、胸ポケットにはJCというイニシャルが入っていた。それでJCっていったい何だろうと僕は思った。JCで思いつくものといえばJUNIOR COLLEGEかJESUS CHRISTか、そんなところだ。でも結局、JCというのはブランドの名前だった。

我々は三人で食堂のテーブルに座り、煙草を吸い、コーラを飲み、アイスクリームを食べた。彼女はとてもおなかをすかせていたので、ココアとドーナツ二個を追加して、それでもまだ不満そうだった。

「退院する頃には豚になるね」と友だちが言った。

「あらいいのよ、回復期なんだもの」と彼女は言った。

僕は二人が話しているあいだ、窓の外に並べて植えられたキョウチクトウを眺めていた。それはとても大きなキョウチクトウで、まるでちょっとした林のように見える。波の音もかすかに聞こえた。窓の外の手すりは潮風のせいでぼろぼろになっていた。天井には古い扇風機がさがっていて、部屋の中の暑い空気をぐるぐるとかきまわしていた。食堂の中にもはっきりと病院の匂いがした。食べたり飲んだりするものの中にも病院の匂いがした。僕《ぼく》は病院に来たのははじめてだったので、そういう匂いに囲まれることで、漠然《ばくぜん》としたもの哀《がな》しい気持になった。

彼女のパジャマにはふたつ胸ポケットがついていた。片方のポケットにはなぜかはわからないけれど、ボールペンが一本入っていた。駅の売店で売っているような安物のボールペンだった。V字型に開いた胸もとから、日に焼けていない白い胸が見えた。その胸の奥だか下だかで、骨が一本動いたのかと思うと、なんだかちょっと変な気がした。

それから僕はどうしたんだっけ、と僕は考える。コーラを飲んで、キョウチクトウを眺めて、彼女の胸の骨のことを考えてから、それからいったいどうしたんだっけ?

僕はプラスチックの椅子の上で体の位置を変え、頬《ほお》づえをついたまま、たいして意味のあるとも思えない記憶の層を掘りかえしてみる。まるで細いナイフの先でコルクの栓《せん》をこねくりまわすように。

しかしどれだけ考えても僕の記憶はそこでぷつんととぎれている。僕が思い出せるのは〈彼女の白い胸の骨〉というところまでだ。そこから先はもう何もない。たぶん彼女の骨の印象があまりにも強かったので、時間がそこでとまってしまったのだろう。

その当時の僕には、骨の位置をずらせるために肉を切り裂くということが、どうしてもうまくうけいれられなかったのだと思う。ほんのちょっと肉を裂けば骨があって、そこに手を入れて位置をずらせ、また肉をふさぎ、そのふさがれた肉が一個の女の肉として再び機能する……ということ。

彼女はもちろんパジャマの下にブラジャーなんてつけてはいなかった。そんなものつけるわけない。それで彼女がかがむとV字型の襟《えり》もとから乳房のあいだの平らな肉が見えた。僕はすぐに目を閉じた。その時にいったい何を思えばよいのか、僕にはわからなかった。

平らな白い肉。

そうだ、それから我々は何かセックスに関する話をしたと思う。主《おも》に僕の友だちが話をした。僕のやった失敗談を大げさに味つけしたかなりきわどい話だ。僕が女の子を口説いてバイクで海岸につれていって服を脱がそうとしたらどうのこうのといった話。本当はそれほどたいしたことでもなかったのだが、彼の話し方がうまかったので我々は笑った。

「あまり笑わせないでよ。笑うとまだ胸が痛むんだから」と彼女は笑いながら言った。

「どのへんが痛いんだよ?」と友だちが訊《たず》ねた。

彼女はちょうど心臓の上あたり、左の乳房の少し内側、を指で押えた。友だちがそれについて何かを言って、彼女はまた笑った。僕も笑って煙草に火をつけ、それから外の風景を眺めた。

僕は時計を見る。十一時四十五分。いとこはまだ戻ってはこない。昼食時が近づいてきたせいもあって、食堂はすこしずつ混《こ》みはじめていた。そのうちの何人かはパジャマを着たり、頭に包帯をまいたりしていた。部屋はコーヒーの匂いや、ランチのハンバーグ・ステーキを焼く匂いで充《み》たされていた。小さな女の子が何かを一所懸命母親に訴えかけていた。

僕の記憶力はもう完全に眠りこんでいた。ざわざわという音が、まるで平らな煙みたいに、僕の目の高さを漂っていた。

時どき、僕の頭はとても単純なことで混乱してしまうのだ。人はなぜ病むのか、とか、そういったことによって。ほんの少しだけ骨がずれること、耳の中の何かがちょっとゆがんでしまうこと、ある種の記憶が不規則に頭の中につめこまれていること。人が病むこと。病が体を冒し、目に見えぬ小石が神経のすきまにもぐりこみ、肉が溶け、骨があらわになること。そして彼女のパジャマのポケットに入っていた一本の安物のボールペン。

　ボールペン。

　僕はもう一度目を閉じ、深呼吸する。そしてコーヒー・スプーンの両端を両手の指でつかむ。ざわざわという音はさっきより幾分弱まっている。彼女はそのボールペンを手に持って、紙ナプキンの裏に何かを描いていたのだ。それで彼女はかがみこんでいて、僕は彼女の乳房のあいだの白い平らな肉を見ることができたのだ。

　彼女は絵を描《か》いていた。絵を描くには紙ナプキンは柔かすぎて、すぐにボールペンの先がひっかかってしまう。それでも彼女は夢中になって絵を描いていた。途中で手順がわからなくなると、彼女は手をやすめてボールペンの青いプラスチック・キャップを噛《か》んだ。それほど強く噛んだわけではない。歯型が残らない程度にやわらかくだ。

　彼女は丘を描いた。こみいった形をした丘だった。古代史の挿画《さしえ》に出てきそうなかんじの丘だ。丘の上には小さな家があった。家の中には女が眠っていた。家のまわりにはめくらやなぎが茂っていた。めくらやなぎが女を眠りこませたのだ。

「めくらやなぎっていったいなんだよ」と友だちが訊ねた。

「そういう種類の柳があるのよ」と彼女は言った。

「聞いたことないね」と友だちが言った。

「私が作ったのよ」と彼女が言った。「めくらやなぎの花粉をつけた小さな蠅《はえ》が耳からもぐりこんで女を眠らせるの」

彼女は新しい紙ナプキンをとって、そこに大きくめくらやなぎの絵を描いた。めくらやなぎはつつじくらいの大きさの木だった。花は咲くが、その花は厚い葉にしっかりと包みこまれている。葉は緑で、とかげの尻尾《しっぽ》がいっぱい寄りあつまったような形をしていた。葉が細いということをのぞけば、めくらやなぎはちっとも柳らしくなかった。

「煙草ある？」と友だちは僕に訊《き》いた。僕はショート・ホープの箱とマッチをテーブル越しにほうった。彼は一本とって火をつけ、僕の方にほうってよこした。

「めくらやなぎの外見はとても小さいけれど、根はちょっと想像できないくらい深いの」と彼女は説明した。「じっさい、ある年齢に達すると、めくらやなぎは上にのびるのをやめて下へ下へと伸びていくの。それで、暗闇を養分として育つの」

「そして蠅がその花粉を運んで女の耳にもぐりこんで、女を眠らせるんだね」と友だちが言った。「それでその蠅はどうするんだい？」

「女の体の中に入って肉を食べるのよ、もちろん」と彼女が言った。

「むしゃむしゃ」と友だちが言った。

そう、彼女はその夏、めくらやなぎについての長い詩を書いていて、その筋を我々に説明してくれていたのだ。それは彼女にとっての唯一《ゆいいつ》の夏休みの宿題だった。彼女はある夜見た夢をもとにしてそのストーリーを作りあげ、ベッドの上で一週間かけて長い詩を書きあげた。友だちはそれを読みたいと言ったが、彼女はまだ細かい部分に手を入れていないからという理由で断った。そのかわりに、彼女は絵を描いてその筋を説明してくれた。

めくらやなぎの花粉のせいで眠り込んでしまった女をたずねて、若い男が一人で丘をのぼっていった。

「俺のことだな、きっと」と友だちがまぜかえした。彼女はちょっとだけ笑って先をつづけた。

彼は道をふさぐようにして繁《しげ》っためくらやなぎをかきわけ、丘をのぼった。めくらやなぎがはびこりだしてからこの丘を上ったのは若者がはじめてだった。彼は帽子をまぶかにかぶり、片手で蝿を追い払いながら斜面を頂上にむけて辿《たど》った。等々。

「でも結局のところ、苦労して小屋に辿りついたのに娘の体はもう既に蝿に食われちゃってたんだろ?」と友だちが訊ねた。

「ある意味ではね」と彼女が答えた。

「ある意味で蠅に食われるというのはある意味では哀しい話なんだろうね？」

「ま、そうね」と彼女は言って笑った。

「しかしそういう残酷で暗い話が君の学校のシスターに喜ばれるとはどうしても思えないんだけれどね」と彼は言った。彼女はミッション系の女子高校に通っていた。

「でもとても面白《おもしろ》いと思うよ」と僕ははじめて口を出した。「つまり情景としてさ」

彼女は僕の方を向いてにっこり笑った。

「むしゃむしゃ」と友だちが言った。

いとこが戻《もど》ったのは十二時二十分だった。彼はぼんやりとして焦点の定まらない表情を顔に浮かべ、片手に薬の入った白い紙袋を下げていた。彼が入口に姿を見せてから、僕のテーブルに辿りつくまでにずいぶん長く時間がかかった。なんだか、体のバランスがうまくとれないような歩き方だった。

彼は僕の向い側の椅子《いす》に腰を下ろすと、ふうっと大きなため息をついた。

「どうだった？」と僕は訊ねてみた。

「うん」といとこは言った。僕は彼が話しだすのをしばらく待っていたが、話はいつまでたっても始まらなかった。

「腹は減った?」と僕はきいてみた。

いとこは黙って肯《うなず》いた。

「ここで食べるかい? それともバスで下におりて町で何か食べる?」

いとこはちょっと迷ってから、部屋の中をぐるりと見まわし、ここでいいと言った。

僕はウェイトレスを呼んでランチを二人ぶん注文した。いとこが喉《のど》が乾いたと言ったので、コーラも注文した。料理が来るまで、いとこは窓の外の風景をぼんやりと眺めていた。海やら、けやきの木やら、テニス・コートやら、スプリンクラーやら山羊《やぎ》やら兎《うさぎ》やらだった。彼は僕の方にずっと右の耳を向けていたので、僕は何も話しかけなかった。

ランチが来るまでに結構時間がかかった。僕はとてもビールが飲みたかったが、病院の食堂にはもちろんビールはない。しかたがないから楊子《ようじ》を一本とり、それで爪《つめ》の甘皮をきれいにした。隣りのテーブルではきちんとした格好の中年の夫婦がスパゲティーを食べながら肺癌《はいがん》になった知人の話をしていた。朝起きたら血痰《けったん》が出たとか、血管にチューブを入れただとか、そんな話だった。妻の方がそれについて質問し、夫が答えた。癌というものはその人間の生き方の方向性がいわば凝縮したものなのだ、と彼は答えていた。

ランチはハンバーグ・ステーキと白身の魚のフライだった。それにサラダとロールパンとカップ・スープがついている。我々は何もしゃべらずに黙々とそれを食べた。スープを飲み、パンをちぎり、バターを塗り、サラダをフォークですくい、ハンバーグ・ステーキにナイフを入れ、つけあわせのスパゲティーを丸めて口に入れた。そのあいだ隣りの夫婦はずっと癌について話しつづけていた。夫はどうして最近になって急激に癌が増加したかについて熱心に話した。

「今何時？」といとこが訊ねた。僕は腕を曲げて時計を見て、それからパンをのみこんだ。「十二時四十分」と僕は言った。

「十二時四十分か」といとこは繰り返した。

「原因はよくわからないらしいよ」といとこは言った。「どうして聴こえないかってことでさ。とくに目立った異常もないしわからないんだって」

「へえ」と僕は言った。

「もちろん今日が最初で、ひととおりの基礎的な検査をやっただけだから、まだ詳しいことはなんともわからないんだけどね……。なんにしても長い治療になりそうだな」

僕は肯いた。

「医者ってみんな同じさ。どこの病院だって同じなんだ。わけのわからないことがあると、なんだって他人に押しつけちゃうんだ。耳の穴を調べて、レントゲンを撮って、反応を測定して、脳波を調べて、それでべつに変ったところがないと、結局は何もかも僕のせいにされちゃうんだ。耳に欠陥がないんだから、僕の方に欠陥があるんだろうっていうことになるんだ。ずっとそういうのばかりだったんだよ。それでみんな僕を非難するようになるんだ」

「でも本当に聴こえなくなるんだろう?」と僕は訊ねてみた。

「うん」といとこは言った。「もちろんほんとに聴こえないよ。嘘《うそ》じゃないよ」

いとこはちょっと首を曲げて僕の顔を見たが、自分が疑われたことについてはべつになんとも感じてはいないようだった。

我々は停留所のベンチに座って、帰りのバスが来るのを待っていた。バスが来るまでにはまだ十五分近く間があった。僕は下り道だからぶらぶらと二駅ばかり歩こうかともちかけたが、いとこはここで待つと言った。どうせ同じバスに乗るんでしょ、と彼は言った。まあそれはそうだ。近所に酒屋があったので、僕はいとこに金をわたして、缶《かん》ビールを買ってきてもらった。いとこはまたコーラを飲んだ。あいかわらず良い天気で、あいかわらず五月の風が吹いていた。目を閉じて、ぱんと手を叩《たた》いて、目を開けると、いろんな状況ががらりと変っているんじゃないかという気がふとする。それは風が、僕の皮膚にこびりついた様々な存在感の上に、変なやすりのようなものをかけていくせいだ。そういえばずっと昔はよくこういう感触を体験したものだった。

「でも、そう思う？　神経的なもので耳が聴こえたり聴こえなくなったりするってさ？」といとこが言った。

「僕にはわかんないよ」と僕は言った。

「僕にもわかんないよ」といとこは言った。

いとこはしばらく膝《ひざ》の上にのせた薬の紙袋をいじりまわしていた。僕は５００ミリ・リットルの缶ビールをちびちびと飲んでいた。

「でも、どんな風に聴こえなくなるの？」と僕は訊ねてみた。

「そうだなあ」といとこは言った。「ちょうどラジオのチューニングが悪くなるようなかんじだね。波が上下するみたいにだんだん音が弱くなってさ、それで消えちゃうんだけど、消えちゃってしばらくするとまた波が上下するみたいに音がせりあがってきて、それでいちおう聴こえるようになるんだ。もちろんまともな方に比べるとそれでもずっと音は弱いんだけどね」

「大変そうだね」と僕は言った。

「片耳が聴こえなくなることが?」といとこが訊ねた。

「そういう何やかやがさ」と僕は答えた。

「でも本当にはわからないよ、どれほど大変かってことはさ。そういうのって、耳が聴こえないこととは直接関係のないびっくりするようなことが意外にすごく大変だったりするんだ」

「うん」と僕は言った。

「本当に僕みたいな耳を持っていたら、きっといろんなことにしょっちゅうびっくりしてることになると思うよ」

「うん」と僕は言った。

「でもこういうのって自慢話みたいじゃない?」

「そんなことはないよ」と僕は言った。

いとこは紙袋をいじりながら、またしばらく考えこんでいた。僕は三分の一ばかり残ったビールを溝《みぞ》に流して捨てた。

「ジョン・フォードの『リオ・グランデの砦《とりで》』っていう映画を観《み》たことある？」というとこが突然訊ねた。

「いや」と僕《ぼく》は言った。

「僕はこの前テレビでやってたのを観たんだ」といとこは言った。「面白い映画だよ」

「うん」と僕は言った。

病院の門から緑色の外国製のスポーツ・カーが出てきて右に曲り、坂を下っていくのを我々は眺《なが》めた。スポーツ・カーには中年の男が一人で乗っていた。車は太陽の光を浴びてとても気持よく光っていて、まるで成長しすぎた虫のように見えた。僕は癌のことについて考えながら煙草《たばこ》を吸った。それから凝縮された生き方の方向性について考えてみた。

「映画のことだけどさ」といとこが言った。

「うん」と僕は言った。

「出だしのところで砦に有名な将軍がやってくるんだよ。巡察か何かでね」

『リオ・グランデの砦』の話だった。

「うん」と僕は言った。

「その将軍を古参の少佐が出迎えるんだけど、これがジョン・ウェインなんだ。将軍の方は東部から来たから、西部のことをよく知らないんだよ。インディアンのことなんかさ。砦のまわりではインディアンが反乱を起こしてるんだ」

「うん」

「それで将軍が砦に着くとね、ジョン・ウェインが出迎えるんだ。『リオ・グランデ砦にようこそ』ってさ。すると将軍がこういうんだ、『来る途中でインディアンを何人か見かけたぞ、注意した方がいい』ってね。それに対してジョン・ウェインがこう答えるんだ。『大丈夫です、閣下がインディアンを見ることができたというのは、本当はインディアンがいないってことです』ってさ。きちんとした科白《せりふ》は忘れちゃったけど、だいたいそんなだったと思うよ。どういうことかわかる?」

僕は煙草の煙を吸いこみ、吐きだした。

「つまり誰《だれ》の目にも見えることは、本当はそれほどたいしたことじゃないってことなのかな」と僕は言った。

「そうなのかな?」といとこは言った。「よく意味はわかんないけど、でも耳のことで誰かに同情されるたびに僕はいつも映画のそのシーンを思いだすんだよ。『インディアンを見ることができるというのはインディアンがいないってことです』ってさ」

僕は笑った。

「おかしい？」といとこが訊《たず》ねた。

「おかしいよ」と僕は言った。それでいとこも笑った。

「映画は好きなの？」と僕は訊ねてみた。

「好きだよ」といとこは言った。「でも耳の調子が悪いときにはほとんど観ないから、そんなに数は沢山観ているわけじゃないけどさ」

「耳の調子が戻ったら映画に行こう」と僕は言った。

「そうだね」といとこはほっとしたように言った。

僕は時計を見た。一時十七分。バスが来るまでにあと四分あった。僕は顔を上げてぼんやりと空を眺めていた。いとこが僕の腕をとって時計を見た。僕はずっと空を眺めていてもう四分たったかなと思ったころに時計に目をやったが、実際には二分しかたってはいなかった。

「ねえ」といとこが僕に言った。「僕の耳を見てみる？」

「どうして？」と僕は言った。

「なんとなくさ」といとこは言った。

「いいよ」と僕は言った。

彼はうしろ向きに座りなおして、右側の耳を僕の方に向けた。いとこの髪は短かかったのでそのままではっきりと耳を見ることができた。形の良い耳だった。全体としては小ぶりだったが、耳たぶの肉だけはふっくらと厚く盛りあがっていた。そんな風に誰かの耳をじっくりと眺めたのは久しぶりだった。じっと見ていると、耳にはどこかしら不思議なところがあった。予想もつかないところでくねくねと曲っていたり、へこんでいたり、とびでたりしている。どうして耳がそんなに変った形をしているのか、僕にはよくわからなかった。集音とか防禦《ぼうぎょ》とかいった機能を追求しているうちに、ごく自然にそんな外見になってしまったのかもしれない。

それから、そのようなくねくねとした壁にとり囲まれるようにして、黒い穴がぽっんと開いていた。耳の穴自体はとくに何ということもないものだった。

「もういいよ」と僕はひととおり観察したあとで言った。

いとこはくるりと前を向いて、ベンチに座りなおした。「どうだった、何か変ったところあった？」と彼は訊ねた。

「外から見る限り変ったところは何もないよ」と僕は言った。「ちょっとした雰囲気《ふんいき》とかさ、そういうことでも、何も感じなかった？」

「ごく普通の耳だと思うよ。みんなと同じだよ」と僕は言った。

「ふうん」と彼は言った。いとこはそんな風にあっさり言われたことで、幾分がっかりしたみたいに見えた。でもいったいどう言えばいいのか、僕にはわからない。

「治療は痛かった?」と僕は訊ねてみた。

「そんなこともない。これまでとだいたい同じようなもんさ」といとこは言った。「聴力検査に新しい機械を使ってたけどね、あとやることはそんなには違わないよ。耳鼻科ってさ、どこだってやることは似たり寄ったりなんだ。同じような先生がいて、同じようなこと質問してね」

「うん」と僕は言った。

「同じようなところを同じようにひっかきまわされるから、今じゃなんだかすりきれちゃったみたいな気がするよ。自分の耳ってかんじがしないんだ」

僕は腕時計に目をやった。もうバスが来る時刻だった。僕はズボンのポケットから小銭をひとつかみとりだし、二百八十円ぶんを選《よ》りわけていとこに手渡した。いとこはその金額をもう一度計算してから、大事そうに手に握った。

僕といとこはそれ以上は何もしゃべらず、坂道の先の方にキラキラと光っている海を見ながら、ベンチに並んで二人でバスを待っていた。

僕はその沈黙の中で、いとこの耳の中に巣喰《すく》っているのかもしれない無数の微小な蝿《はえ》のことを考えてみた。六本の足にべっとりと花粉をつけていとこの耳に入りこみ、その中でやわらかな肉をむさぼり食っている蠅のことをだ。じっとこうしてバスを待っているあいだにも、彼らはいとこの薄桃色の肉の中にもぐりこみ、汁《しる》をすすり、脳の中に卵を産みつけているのだ。そして時の階段をゆっくりと上方に向ってよじのぼりつづけているのだ。誰も彼らの存在には気づかない。彼らの体はあまりにも小さく、彼らの羽音はあまりにも低いのだ。

「28番」といとこが言った。「28番のバスでいいんでしょ?」

坂道の右手の大きなカーブを一台のバスがこちらに向って曲ってくるのが見えた。見覚えのある古い型のバスで、正面に「28」という番号の札がかかっていた。僕はベンチから立ちあがって片手を上げ、バスの運転手に合図をした。いとこは手のひらを広げてもう一度小銭を数えなおした。そして僕といとこは二人で肩を並べるようにして、バスの扉《とびら》が開くのを待った。

三つのドイツ幻想

1　冬の博物館としてのポルノグラフィー

セックス、性行為、性交、交合、その他なんでもいいのだけれど、そういったことば、行為、現象から僕《ぼく》が想像するものは、いつも冬の博物館である。

——冬の・博物館——

もちろんセックスから冬の博物館に至るまでには、ちょっとした距離がある。何度か地下鉄を乗りかえたり、ビルの地下をとおりぬけたり、どこかで季節をやりすごしたり、といった手間もかかる。しかしそういった面倒ははじめのうちのほんの何度かだけで、そんな意識の回路の道のりに一度習熟してしまえば、誰《だれ》でもあっという間に冬の博物館にたどりつける。

嘘《うそ》じゃなくて、本当にそうなのだ。

セックスが街の話題となり、交接のうねりが闇《やみ》を充《み》たすとき、僕はいつも冬の博物館の玄関に立っている。僕は帽子を帽子かけにかけ、コートをコートかけにかけ、手袋を机の隅《すみ》にかさねて置き、それから襟《えり》まきをまいていたことを思いだして、それを取ってコートの上にかけておく。

冬の博物館は決して大がかりな博物館ではない。コレクションも分類も運営の要領も、何から何までほんとうに個人のレベルのものなのだ。だいいち、ここには一貫したコンセプトというものがない。エジプトの犬の神の彫像があったり、ナポレオン三世の使った分度器があったり、死海の洞窟《どうくつ》でみつかった古代の鈴があったりする。でもそれだけなのだ。それらのひとつひとつはどこにもつながっていかない。まるで飢えと寒さにがっしりと首をつかまれた孤児のように、それらはケースの中にうずくまってじっと目を閉じている。

博物館の館内はとても静かだ。開館時刻まではまだ少し間がある。僕は蝶《ちょう》のような格好をした金具を机の引出しからとりだして、それで玄関のわきに置かれた柱時計のねじをまく。そしてその針を正確な時刻にあわせる。僕は——僕の思いちがいでなければ、ということだけど——この博物館で働いているのだ。

朝の静かな光と、ひっそりとした性行為の予感が、いつものように溶けたアーモンドみたいに、博物館の空気を支配している。

僕は館内をぐるりとまわって、窓のカーテンを開け、スティーム・ヒーターの栓《せん》を全開にする。それから有料パンフレットをきちんと揃《そろ》えて入口の机の上に積んでおく。必要な電灯のコンセントをセットする。つまりヴェルサイユ宮殿のミニチュアでA・6のボタンを押すと王の居室のライトが灯《とも》るとか、そういうもののことだ。ウォーター・クーラーの調子もためしてみる。ヨーロッパ狼《おおかみ》の剝製《はくせい》を、子供たちの手がとどかぬように少し奥に押しやっておく。洗面所の石鹼水《せっけんすい》を補充する。それくらいの作業はいちいちあらためて手順を思いだしたり考えたりしなくとも、体の方が勝手に動いて済ませてくれる。僕はなんといっても、つまり、うまく言えないけれど、僕自身なのだ。

その次に僕は小さなキッチンに入って歯を磨《みが》き、冷蔵庫から牛乳を出してソースパンにあけ、それを備えつけの電気コンロであたためる。電気コンロや冷蔵庫や歯ブラシなんかはもちろん由緒《ゆいしょ》のあるものなんかじゃなくて、近所の電気屋や雑貨店で買ってきたものなのだけれど、博物館の中にあっては、そういったものさえどこかしら博物館的に見える。牛乳さえ、古代の牛からしぼりとった古代の牛乳のように見える。僕にはときどきよくわからなくなってしまうのだけれど、これは博物館が日常を侵蝕《しんしょく》しているというべきなのだろうか、あるいは日常が博物館を侵蝕しているというべきなのだろうか。

ミルクがあたたまると、僕は机の前に腰かけてミルクを飲みながら、郵便受けにたまっていた手紙を開封して読む。手紙は三つのカテゴリーに分類される。ひとつは水道料金の請求書とか考古学サークルの会報とかギリシャ領事館の電話番号の変更通知とか、そういった事務的な手紙であり、もうひとつは博物館に来館した人々が書いて寄こす様々な感想や苦情やはげましや提案の手紙だ。人々は実にいろんなことを考えつくものだと僕は思う。だって、たかが大昔のことじゃないか。メソポタミアの棺《ひつぎ》のとなりに後漢時代の酒器があったからといって、それが彼らにとってどんな不都合をもたらすというのだ。博物館が困惑し混乱することを止《や》めたとき、人々はいったいどこにそれらを求めにいけばいいと思っているのだ？

僕は、そういった二種類の手紙をそれぞれの書類棚《しょるいだな》に無感動に放り込むと、机の引出しからクッキーの缶《かん》を出して三枚かじり、残りのミルクを飲む。それから最後の手紙を開封する。最後の手紙は博物館のオウナーからのもので、内容はとてもさっぱりしている。卵色のアート紙に黒いインクで指示が書きこまれている。

①36番の壺《つぼ》を梱包《こんぽう》し倉庫にひっこめる。

②そのかわりにA・52の彫像台座（彫像なし）をスペースQ・21に展示する。

③スペース・76の電球を新品と交換。
④来月の休館日を入口に明示しておくこと。

僕はもちろん指示に従う。36番の壺をカンバス布につつんで奥にひっこめ、そのかわりにA・52のひどく重い台座を死にものぐるいでひきずり出してくる。椅子《いす》にのぼってスペース・76の電球を新品ととりかえる。台座は重いわりにあまりぱっとしないし、36番の壺は観客に好評だったし、電球はまだ新品同様だったが、それはいちいち僕が意見をはさむ種類のことではなかった。僕は言われたとおりにして、それからミルクのカップとクッキーの缶をかたづけた。開館の時間が迫っていた。

僕は洗面所の鏡の前で髪をとかし、ネクタイの結びめをなおし、ペニスがきちんと勃起《ぼっき》していることをたしかめた。問題は何もなかった。

☆36番の壺
☆A・52の台座
☆電球
☆勃起

セックスが、潮《うしお》のように博物館の扉《とびら》を打つ。柱時計の針が午前十一時の鋭角を刻む。冬の光は床を舐《な》めるように低く、部屋の中心にまで届いている。僕はゆっくりとフロアを横切り、かけがねをはずし、扉をあける。扉をあけた瞬間に、何もかもが変る。ルイ十四世の居室の光が灯り、ミルクのソースパンは温《ぬく》もりを失うことをやめ、36番の壺はひそやかなゼリー状の眠りの中に沈んでいく。僕の頭上では何人もの気ぜわしい男たちが丸い形に靴音《くつおと》を響かせている。

僕は誰を理解することもやめる。

誰かが戸口に立っているのが見える。でもそんなのはどうでもいいことで、戸口のことなんか何だってかまいはしないのだ。なぜなら僕はセックスのことを考えるといつも冬の博物館にいて、我々はみんなそこに孤児のようにうずくまって、温もりを求めているのだ。ソースパンはキッチンに、クッキーの缶は引出しに、そして僕は冬の博物館にいる。

2 ヘルマン・ゲーリング要塞《ようさい》 1983

ヘルマン・ゲーリングはベルリンの丘をくりぬいて巨大な要塞を構築しながら、いったい何を想《おも》っていたのだろう? 彼は文字どおり丘をまるごとひとつくりぬいて、その内部をコンクリートでしっかりと塗り固めてしまったのだ。それはあたかも不吉な白蟻《しろあり》の塔のごとく、夕暮の淡い闇の中にくっきりとそびえ立っていた。急な斜面をよじのぼって要塞の頂上に立つと、我々は灯《ひ》のともりはじめた東ベルリンの市街を一望のもとに見下ろすことができた。八方に構えた砲台は首都に迫り来る敵軍の姿を捉《とら》え、それを撃破できるはずだった。どんな爆撃機もその要塞の厚い装甲を破壊することはできず、どんな戦車もそこをのぼりきることができないはずだった。

要塞の中には二千人のSS戦闘部隊が何ヵ月もたてこもれるだけの食料と飲料水と弾薬が常に配備されていた。秘密の地下道が迷路のごとくめぐらされ、巨大なエア・コンディショナーが新鮮な大気を要塞の中に送り込んでいた。たとえロシア軍・英米軍が首都を包囲しようとも我々は敗れることはない、とヘルマン・ゲーリングは豪語した。我々は不落の要塞の中に生きるのだ、と。

しかし1945年の春にロシア軍が季節の最後のブリザードのような格好でベルリンの街に突入してきたとき、ヘルマン・ゲーリング要塞はじっと黙したままであった。ロシア軍は地下道を火炎放射で焼き、高性能爆薬をしかけて要塞の存在そのものを消滅させてしまおうと試みた。しかし要塞は消滅しなかった。コンクリートの壁にひびが入っただけだった。

「ロシア人の爆弾でヘルマン・ゲーリング要塞を崩すことはできないよ」とその東ドイツの青年は笑いながら言った。「ロシア人が壊せるのはスターリンの銅像くらいのものさ」

彼は東ベルリンの街を何時間もかけてぐるぐると歩きまわり、1945年のバトル・オブ・ベルリンの痕跡《こんせき》をいちいち僕に示してくれた。いかなる理由から僕がベルリンの戦跡に興味を持っていると彼が考えついたのか、僕にはまるでわからなかったけれど、彼はおどろくくらい熱心だったし、改めて僕の希望を説明するのも変な具合だったので、彼が導くままに僕は午後じゅうかけて街を歩きまわった。僕と彼はその日のランチ・タイムにテレビ塔《フェルンゼートゥルム》の近くのカフェテリアで偶然知りあったのだ。

しかしいずれにせよ、彼の案内は実に手際《てぎわ》よく、要を得ていた。彼のあとをついて東ベルリンの戦跡をたずね歩いていると、だんだん、まるでほんの数ヵ月前に戦争が終ったばかりと言われても信じられそうな気分になってくる。街じゅうに弾痕がびっしりとこびりついているのだ。

「ほら見てごらんよ」と彼は言って、そんな弾痕のひとつを僕に示す。「ロシア軍とドイツ軍の弾丸はすぐに見わけがつくんだ。まるで壁をぶち割るようにえぐりとっているのがドイツ軍の弾丸で、すぽんとのめりこんでいるのがロシア軍のなんだ。出来がちがうんだよ、実にね《ユー・ノウ》」

彼はこの何日かのあいだに僕が出会った東ベルリン市民《オスト・ベルリナー》の中ではいちばんわかりやすい英語を話す。

「とても綺麗《きれい》に英語を話すね」と僕はほめた。

「しばらくのあいだ船乗りをしていたからね」と彼は言った。「キューバにも行ったし、アフリカにも行った。黒海にも長くいたよ。だから英語を覚えたんだ。今は建築技師をしているんだけどね」

ヘルマン・ゲーリング要塞の丘を下って、またしばらく夜の街を歩いてから我々はウンター・デン・リンデンの通りにある古いビアホールに入る。金曜の夜のせいか、ビアホールはひどく混《こ》みあっている。

「ここはチキンが名物なんだ」と彼は言う。それで僕《ぼく》は米のついたチキン料理とビールを注文する。たしかにチキンは悪くないし、ビールもうまい。部屋はあたたかく、ざわめきは心地良かった。

我々のテーブルのウェイトレスはキム・カーンズにそっくりのとびっきりの美人だ。白っぽいブロンドで、ブルー・アイズで、胴がきりっとしまっていて、笑顔が可愛《かわい》い。彼女はまるで、巨大なペニスを讃《たた》えるといった格好でビールのジョッキを抱え、我々のテーブルに運んでくる。彼女は僕に、東京で僕が知っていた一人の女性を思い出させる。べつに顔が似ているわけでもないし、何が似ているわけでもないのに、その二人はどこかでひっそりと結びついている。おそらくヘルマン・ゲーリング要塞の残像が、彼女たちを迷宮の闇の中ですれちがわせているのだ。

我々は既に相当な量のビールを飲んでいる。時計は十時近くを指している。僕は夜中の十二時までにフリードリヒシュトラッセのSバーン駅に戻《もど》らねばならない。僕の東ドイツ滞在ビザは十二時で切れてしまって、それを一分でも過ぎたら、僕はひどく厄介《やっかい》な目に会うことになる。

「街の郊外にすごい戦闘のあとが残ってるところがあるんだけど」と彼は言う。

僕はぼんやりとウェイトレスを眺《なが》めていたので、青年のことばを聞き逃してしまう。

「エクスキューズ・ミー?」

彼は繰りかえす。

「SSとロシア軍の戦車が正面からぶつかってね、これが事実上のベルリンの戦闘の山になったんだ。鉄道の操車場のあとなんだけど、それが今でもそっくりそのまま残ってるんだ。戦車の壊れた部品とかさ。友だちの車を借りてすぐにでも行けると思うんだけど」

僕は青年の顔を見る。彼はほっそりとした顔だちで、グレーのコーデュロイの上着を着て、両手をテーブルの上にひらたく置いている。彼の指は長く、つるりとしていて、船員の指には見えない。僕は首を振る。「十二時までにフリードリヒシュトラッセの駅に着かなくちゃならないんだ。ビザが切れるから」

「明日はどう?」

「明日は昼前にニュールンベルグにたつんだ」と僕は嘘《うそ》をつく。

青年は少しがっかりした様子だった。疲れきったという色が、彼の表情をさっと横切る。

「明日なら僕のガール・フレンドと彼女の女友だちが一緒に行けると思うんだけどね」と彼は弁解するように言う。

「残念だけど」と僕は言う。生ぬるい手が僕の体の中の神経の束を握っているような気がする。いったいどうすればいいのか、僕にはよくわからない。僕はこの奇妙な弾痕だらけの街のまん中で完全に途方に暮れている。それでもやがてその生ぬるい手は、潮が引くようにゆっくりと僕の体内から去っていく。

「でもヘルマン・ゲーリング要塞はすごかったでしょう」と青年は言って、静かに微笑《ほほえ》む。「四十年間かけて、誰《だれ》にもあれを壊すことができなかったんだ」

ウンター・デン・リンデンとフリードリヒシュトラッセの交叉点《こうさてん》に立つと、いろんなものをすっきりと見わたすことができる。北にSバーン駅、南にチェックポイント・チャーリー、西にブランデンブルク門、東にテレビ塔《フェルンゼートゥルム》。

「大丈夫だよ」と青年は僕に向って言う。「ここからならゆっくり歩いても十五分あればSバーン駅には着ける。大丈夫でしょ?」

僕の腕時計は十一時十分を指している。「大丈夫」と僕は自分に言いきかせるように言う。それから我々は握手する。

「操車場に案内できなくて残念だったな。それから女の子のこともね」

「そうだね」と僕も言う。でもいったい彼にとって、何が残念だというのだ。

僕は一人でフリードリヒシュトラッセを北に向けて歩きながら、1945年の春にヘルマン・ゲーリングが何を考えていたのかを想像してみる。でも1945年の春に千年王国の帝国元帥《ライヒスマーシャル》が何を考えていたかなんて、結局のところ誰にもわかりはしないのだ。彼の愛した美しいハインケル117爆撃機の編隊は、まるで戦争そのものの死《し》骸《がい》のように、ウクライナの荒野にその何百という白い骨をさらしていたのだ。

3　ヘルWの空中庭園

僕が最初にヘルWの空中庭園に案内されたのは霧の深い十一月の朝だった。

「何もないよ」とヘルWは言った。

たしかに何もなかった。霧の海の中に空中庭園がぽつんと浮かんでいるだけだった。それは、空中庭園のサイズはおおよそ縦八メートル、横五メートルというところだ。それは、空中庭園であることをべつにすれば、まるで普通の庭と変るところがなかった。というかそれは地上の基準からすれば、明らかに三級品の庭だった。芝生はやくざだし、花の種類は不揃《ふぞろ》いだし、トマトのつるはひからびているし、まわりには柵《さく》さえなかった。白いガーデン・チェアは質流れ品みたいだった。

「だから何もないって言ったでしょう」とヘルWは言いわけするように言った。ヘルWはずっと僕の視線を追っていたのだ。でも僕はとくにがっかりしたというわけではなかった。なにも僕は立派なあずま屋や噴水や動物の形をした植込みやキューピッドの彫像を期待してここにやってきたわけではないのだ。僕はただヘルWの空中庭園を見てみたかっただけなのだ。

「どんな豪華な庭より素敵ですよ」と僕が言うと、ヘルWは少しほっとしたみたいだった。

「もう少し高く浮かせるとぐっと空中庭園らしくなるんだけど、いろいろ事情があってね、なかなかそうもいかなくてね」とヘルWは言った。「お茶でも飲みますか?」

「いいですね」と僕は言った。

ヘルWはデイパックのようでもありバスケットのようでもある要領を得ない形のキャンバス地のいれものから、コールマン・バーナーとほうろうびきの黄色いティー・ポットと水を入れたポリタンクをひっぱりだしてきて、湯をわかしにかかった。

あたりの空気はひどく寒かった。僕はぶ厚いダウン・ジャケットを着て首にマフラーをぐるぐるとまきつけていたが、それでも殆《ほと》んど何の役にも立たなかった。僕はぶるぶると震えながら、白い霧が足もとでゆっくりと身をくねらせながら南の方に流れていくのを眺めていた。霧の上にぽっかりと浮いていると、まるで地面ごとどこか知らない土地に流されてしまいそうな気がした。

僕が熱いジャスミン茶をすすりながらそう言うと、ヘルWはくすくす笑った。

「みんなここに来ると必ずそう言うんだ。とくに霧の濃い日はね。とくにね。北海の上空まで流されちゃうんじゃないかってね」

僕は咳払《せきばら》いして、さっきから気になっていたべつの可能性を指摘した。「あるいは東ベルリンまでね」

「そうそう、それなんだ」とヘルWはひからびたトマトのつるを指でしごきながら言った。「私が空中庭園をもっとずっと空中庭園的にできない理由もそこにあるんだ。あまり高くすると、東側の警備兵がとても神経質になってね、夜中じゅうサーチライトをあてたり、マシンガンの銃口をずっとこっちに向けたりするんだ。もちろん撃ちゃしないけどさ、あまり気分の良いものじゃないよね」

「そうですね」と僕はあいづちを打った。

「それから、君の言うように、高くあげすぎたおかげで風圧が高まり、本当に空中庭園ごと東ベルリンに流されちゃうという事態が起こらぬでもない。そうすると、これはとても困ったことになる。たぶんスパイ罪を適用されるから、まず生きては西ベルリンに戻れまいね」

「ふうん」と僕は言った。

ヘルWの空中庭園は東西ベルリンを隔てる壁のすぐわきにある四階建てのおんぼろ

ビルの屋上につながれていた。ヘルWは屋上から十五センチくらいの高さにしか庭園を浮かべていなかったので、注意深く見ないと、それはただの屋上庭にしか見えなかった。立派な空中庭園を所有しながらそれをたったの十五センチしか浮かべないなんて、ちょっと普通の人には真似《まね》のできないことだ。「ヘルWはとても物静かででしゃばらない人だから」とみんなは言う。たしかにそのとおりなのだろうと僕も思う。

「どうしてもっと安全なところに庭園ごと移らないんですか?」と僕はたずねてみる。「たとえばケルンとかフランクフルトとか、あるいは西ベルリンでももっと内側とか……。そうすれば誰に気がねなくもっと高く庭園を浮かべることができるじゃありませんか」

「まさか」とヘルWは首を振る。「ケルン、フランクフルト……」。ヘルWはまた首を振る。「私はここが好きなんだよ。友だちもみんなこのクロイツベルクに住んでいる。ここがいちばん良いんだ」

彼は茶を飲み終ると、こんどは物入れからフィリップスの小さなポータブル・プレイヤーをとりだし、レコードをターンテーブルに載せてスイッチを入れる。まもなくヘンデルの「水上の音楽《ヴァサー・ムジーク》」の第二組曲が流れだす。朗々としたトランペットがぼんやりと曇ったクロイツベルクの空に輝かしくひびきわたる。ヘルWの空中庭園にとって、これほどふさわしい音楽が他《ほか》にあるだろうか？

「今度は夏に来なさい」とヘルWは言った。「夏の空中庭園は底抜けに楽しいからね。今年の夏は毎日ここでパーティーをやったんだよ。いちばん多いときで人間が二十五人と犬が三匹ここにのっかったんだよ」

「よく誰も落っこちませんでしたね」と僕はあきれて言った。

「実を言うと二人ばかり酔っ払って下に落ちたね」と言ってヘルWはくっくっと笑った。「でも死ななかったよ。三階のひさしがとてもしっかりしてるからさ」

　僕も笑った。

「アップライト・ピアノをひっぱりあげたこともあるよ。その時はポリーニが来てシューマンを弾いたんだ。とても楽しかったな。ポリーニはご存じのように、ちょっとした空中庭園のマニアだからね。他にローリン・マゼールも来たがったんだけど、まさかウィーン・フィルをまるごとここにのっけるわけにもいかないからね」

「そうですね」と僕は同意した。

「夏にまた来なさい」とヘルWは言って僕の手を握った。「夏のベルリンは素敵だよ。夏になるとこのあたりはトルコ料理の匂《にお》いと子供のざわめきと音楽とビールとでいっぱいになるんだ。ベルリンだよ」

「是非来てみたいですね」と僕は言った。

「ケルン！ フランクフルト‼」と言ってヘルWはまた首を振った。

そんなわけでヘルWの空中庭園はベルリンの六月を待ちながら、今もクロイツベルクの上空に十五センチだけ浮かんでいるのだ。

年代でいうと、この短編集に収められた作品のうちいちばん古いものが「納屋《なや》を焼く」(57年11月)、いちばん新しいものが「三つのドイツ幻想」(59年3月)ということになる。

僕《ぼく》はときどき長編と短編のどちらが得意かと聞かれることがあるが、そういうことは本人としてはよくわからない。長編を書いてしまうとそのあとに漠然《ばくぜん》とした悔いが残って、それで短編をまとめて書き、短編を幾つかまとめて書くとそれはそれで切なくなって長編にとりかかる、というパターンである。そんな風に長編を書き短編を書き、また長編を書き短編を書くことになる。そういう繰りかえしもいつかはきっと終るのだろうけれど、今のところは細い糸にすがるような具合に少しずつ小説を書きつづけている。

理由はうまく言えないけれど、小説を書くことはとても好きです。

昭和59年4月25日・夕暮

村上春樹

この作品は昭和五十九年七月新潮社より刊行された。

新潮文庫最新刊

塩野七生著
十字軍物語 第一巻
—神がそれを望んでおられる—
中世ヨーロッパ史最大の事件「十字軍」。それは侵略だったのか、進出だったのか。信仰の「大義」を正面から問う傑作歴史長編。

塩野七生著
十字軍物語 第二巻
—イスラムの反撃—
十字軍の希望を一身に集める若き癩王と、ジハード=聖戦を唱えるイスラムの英雄サラディン。命運をかけた全面対決の行方は。

蓮實重彦著
伯爵夫人
三島由紀夫賞受賞
瞠目のポルノグラフィーか全体主義への不穏な警告か。戦時下帝都、謎の女性と青年の性と闘争の通過儀礼を描く文学界騒然の問題作。

いしいしんじ著
海と山のピアノ
生きてるってことが、そもそも夢なんだから——。ひとも動物も、生も死も、本当も嘘も。物語の海が思考を飲みこむ、至高の九篇。

森美樹著
私の裸
ライターの天音は、人と違う肉体を生かして俳優となった朔也と出会う。取材を進め知ったのは、四人の女性が変貌する瞬間だった。

三崎亜記著
ニセモノの妻
〝妻〟の一言で始まったホンモノの妻捜し。坂へのスタンスですれ違う夫婦……。非日常に巻き込まれた夫婦の不思議で温かな短編集。

新潮文庫最新刊

神西亜樹著
東京タワー・レストラン
目覚めるとそこは一五〇年後の東京タワーで、料理文化は崩壊していた！　シェフとして働く「現代青年」と未来人による心温まる物語。

白河三兎著
田嶋春にはなりたくない
キャンパスの日常の謎を、超人的な観察眼で鮮やかに解き明かす田嶋春に、翻弄され、笑わされ、そして泣かされる青春ミステリー。

澤村伊智・彩瀬まる
木原音瀬・樋口毅宏著
窪　美澄
ここから先はどうするの
―禁断のエロス―
敏感な窪みに、舌を這わせたい。貴方を埋めたいと、未通の体が疼く。歪な欲望が導く絶頂、また絶頂。五人の作家による官能短編集。

山本周五郎著
周五郎少年文庫
少年間諜X13号
―冒険小説集―
帝国特務機関最高栄誉X13を継いだ少年スパイ。単身での上海郊外の米軍秘密要塞爆破の任務が下った……。冒険小説の傑作八編収録。

山本周五郎著
青べか物語
うらぶれた漁師町・浦粕に住み着いた私はボロ舟「青べか」を買わされた――。狡猾だが世話好きの愛すべき人々を描く自伝的小説。

野坂昭如著
絶筆
警世と洒脱、憂国と遊び心、そして無常と励まし。急逝するわずか数時間前まで書き続けた日記をはじめ、最晩年のエッセイを収録。

螢《ほたる》・納《な》屋《や》を焼《や》く・その他《た》の短編《たんぺん》

新潮文庫　む－５－３

昭和六十二年九月二十五日　発行
平成二十二年四月十日　五十一刷改版
平成三十年十二月二十五日　六十三刷

著者　村《むら》上《かみ》春《はる》樹《き》
発行者　佐藤隆信
発行所　株式会社 新潮社
郵便番号　一六二―八七一一
東京都新宿区矢来町七一
電話　編集部(〇三)三二六六―五四四〇
読者係(〇三)三二六六―五一一一
http://www.shinchosha.co.jp

価格はカバーに表示してあります。

乱丁・落丁本は、ご面倒ですが小社読者係宛ご送付ください。送料小社負担にてお取替えいたします。

印刷・錦明印刷株式会社　製本・錦明印刷株式会社

ISBN978-4-10-100133-3 C0193